O *médico e o rio*

CIP-BRASIL. CATALOGAÇÃO NA PUBLICAÇÃO
SINDICATO NACIONAL DOS EDITORES DE LIVROS, RJ

C794m

Coradazzi, Ana Lucia
    O médico e o rio : histórias, experiências e lições de vida / Ana Lucia Coradazzi, Lucas Cantadori. - São Paulo : MG, 2020.
    184 p.

    ISBN 978-65-87862-00-2

    1. Medicina - Prática. 2. Cuidados paliativos. 3. Coronavírus (Covid-19). I. Cantadori, Lucas. II. Título.

20-65027
CDD: 616.029
CDU: 616-036.8

Camila Donis Hartmann - Bibliotecária - CRB-7/6472

www.mgeditores.com.br

Compre em lugar de fotocopiar.
Cada real que você dá por um livro recompensa seus autores
e os convida a produzir mais sobre o tema;
incentiva seus editores a encomendar, traduzir e publicar
outras obras sobre o assunto;
e paga aos livreiros por estocar e levar até você livros
para a sua informação e o seu entretenimento.
Cada real que você dá pela fotocópia não autorizada de um livro
financia o crime
e ajuda a matar a produção intelectual de seu país.

O médico e o rio

Histórias, experiências
e lições de vida

Ana Coradazzi
Lucas Cantadori

MG EDITORES

O MÉDICO E O RIO
Histórias, experiências e lições de vida
Copyright © 2020 by autores
Direitos desta edição reservados por Summus Editorial

Editora executiva: **Soraia Bini Cury**
Assistente editorial: **Michelle Campos**
Capa: **Buono Disegno**
Imagem da capa: **jeneva86/Depositphotos, gentilmente cedida pela autora**
Diagramação: **Crayon Editorial**

MG Editores
Departamento editorial
Rua Itapicuru, 613 – 7º andar
05006-000 – São Paulo – SP
Fone: (11) 3872-3322
Fax: (11) 3872-7476
http://www.summus.com.br
e-mail: summus@summus.com.br

Atendimento ao consumidor
Summus Editorial
Fone: (11) 3865-9890

Vendas por atacado
Fone: (11) 3873-8638
Fax: (11) 3872-7476
e-mail: vendas@summus.com.br

Impresso no Brasil

Para Fábio, Mariana e Lorena
Vocês continuam sendo a minha vida
Ana

Para Hong e Catarina
Meus grandes amores
Lucas

Sumário

Prefácio – Agora 9
Uma rápida explicação 13
Ciao, amore 15
Direi que me lembro de vocês 19
(Ir)racionalidades 23
O médico e o rio 27
O gosto amargo das framboesas 30
Dois ouvidos, uma só boca 34
Hoje é dia de ir ao médico 37
Como os médicos morrem? 40
A Rainha de Medjugorje 43
O vagalume – *Lucas Cantadori* 48
Onde é que dói? 52
Eutanásia, por favor 55
Além dos olhos 58
Gentileza gera... chocolate 60
O jeito mais fácil de viver 62
Os três lados da moeda 64
"Acho que ele pensou que eu já tinha morrido" . . . 68
Doutora, você nem imagina... 71
Como viver para sempre 74
O legado 76
Quem está longe, quem está perto 78
Obrigado por tudo, doutor – *Lucas Cantadori* . . . 80
A filosofia da lealdade 83

"Chique" é não ir ao hospital hoje. 86
Quando as palavras se tornam dispensáveis 89
É justamente por elas... 91
A vida é dura? 94
A médica de cócoras 96
Os médicos do fim da vida 100
Com a nossa letra 103
A teoria do martelo 106
A boa viola 109
O câncer de cada um 112
Sobre despedir-se 114
O pacto de silêncio 117
O que é coragem para você? 120
Quando eu deixo você tocar meu coração. 124
É só por ela 126
Os eucaliptos 129
Para quê? 131
Cuida de mim? 133
Para sempre ao meu lado 135
Salva pelo amor – *Lucas Cantadori* 138
As coisas que acontecem depois 142
Como coar o café 145
A reza 148
A dor que vive por trás da dor 151
Por onde andam seus olhos que a gente não vê? 155
Coragem 158
Nós que temos e podemos – *Lucas Cantadori* 163
O sorriso mais lindo do mundo 166
Raiva – *Lucas Cantadori*. 169
A torcida de branco 172
Fique em paz, querido 175

Prefácio – Agora

Cada pessoa é uma história. Paramos de contar histórias quando não mais dispomos do tempo para parar, refletir, maravilhar-nos. As histórias são a experiência de alguém sobre os acontecimentos de sua vida, e não os acontecimentos em si.

Quando escrevemos nossas histórias de cuidado, tornamo-nos mais conscientes do sofrimento que ainda temos de curar também em nós – e do fato de que nossas percepções igualmente estão presentes. Lendo histórias de cuidado, percebendo a transformação/ transmutação que acontece quando a comunicação consciente ocorre, transformamo-nos em "alimento" uns para os outros.

Os autores deste livro, Ana e Lucas, deixam isso claro, e mostram-se preocupados com a habilidade, no quesito comunicação interpessoal, que o médico adquire (?) nos cursos de graduação. Questionam, ainda, quando (ou depois de quanto tempo) ele é capaz de desenvolver a habilidade comunicativa adequada para dizer com tranquilidade: "O que você acha de pararmos de nos preocupar com sua doença e dirigir nossos esforços para melhorar ao máximo a sua convivência com ela?"

Sim, estamos falando de "médicos do fim da vida" – que criam vínculos mesmo sabendo que perderão a luta contra a doença e se dispõem a acompanhar e compreender o outro para qualificar sua vida enquanto ela existir. Sabem que qualquer ser humano é maior que sua doença. São médicos que entendem que a falta de tempo para ouvir os faz "gastar o dobro do seu tempo precioso explicando complicações que não previu, corrigindo diagnósticos malfeitos, interpretando exames desnecessários, esclarecendo pela quarta vez a mesma dúvida".

São médicos que entendem que comunicar é ir além da relação com os sintomas físicos do paciente ("ignorar os componentes não físicos dos sintomas é o mesmo que ignorar nossa complexidade"). Profissionais que aprenderam que a prática da atenção na conversação (que é fonte de nutrição!) requer deixar de lado preconceitos, estereótipos, julgamentos.

O mundo é um todo energético e a troca entre as pessoas acontece nas falas e ações, na postura corporal, no toque, nas maneiras de aproximação. Ao ouvir, ver e sentir o que o outro desperta em nós, conectamo-nos ao estado de compaixão – sentimento que gera/alimenta nossa vontade, nossa intenção de cuidar. Nossa comunicação não é neutra. Aprendi, ao longo de décadas cuidando, que, assim como uma bela planta pode produzir belos brotos, folhas, flores e frutos, um belo ser humano pode produzir belos pensamentos, falas e ações.

Hoje, temos instrumentos de comunicação diversos (internet, e-mails, videoconferência, aplicativos, livros), mas por trás de todos eles está a mente. Se nossa mente estiver "bloqueada", não há equipamento que consiga transpor nossa incapacidade de nos comunicar e aprender com as experiências alheias.

É com a mente aberta para trocar com o outro, para partilhar momentos (*communicare* = compartilhar, tornar comum) que aprendemos e identificamos a criança no idoso, a paz no caos, a gentileza na dor, o valor do silêncio, a paciência de cuidadores, a tristeza que se transmuta em saudade, a força dos pais que acompanham a terminalidade de seus filhos, a gratidão, a importância da postura corporal inclusiva, do olhar direto, do toque afetivo e das muitas e únicas expressões de amor entre pessoas. Sem negar a existência da decepção, do cansaço e da irritação.

É a nossa vontade de ajudar o mundo a sofrer menos que deve nos fazer notar se nossa ação/atuação/presença é tóxica ou compassiva. Se estamos sendo remédio (terapêuticos) ou veneno (iatrogênicos). É nossa intenção de ajudar as pessoas a sofrer menos que nos

(*O médico e o rio*)

leva a escutar e a entender o sofrimento (nosso ou de qualquer outro ser humano), permitindo que a compaixão e o amor nasçam. É preciso ter em mente que o sofrimento não liberado e reconciliado permanecerá e nos trará mais angústia e medo. Entendê-lo faz que surja a compaixão. Quíron, a figura mitológica do curador ferido: cuidando se cuida!

Quando sofremos menos, conseguimos entender com mais facilidade o sofrimento dos outros. Nesse estado de ser, nossa comunicação está baseada no desejo de entender, e não no de provar que estamos certos. Compreender diminui a dor e aumenta a alegria. Precisamos de pessoas felizes neste mundo.

Oxalá, lendo este livro de histórias/experiências, caro leitor, você consiga se recordar (*re-cordis*: voltar a passar pelo coração) da beleza e do potencial da comunicação e da importância de estar inteiramente presente ao cuidar. O livre-arbítrio acontece quando somos capazes de libertar o sofrimento, a culpa, a desculpa e transmutar/crescer/ transformar nossa prática, nossas ações, nossa vida. Recordar sempre... Afinal, essa é a beleza e o desafio do ser humano.

Diz um provérbio zen-budista: "Se não agora, então quando?" Obrigada, queridos Ana e Lucas, por terem escrito este livro! Bênçãos para vocês.

Com carinho, gratidão e admiração,

PROFA. DRA. MARIA JÚLIA PAES DA SILVA
Professora titular da Escola de Enfermagem da Universidade
de São Paulo (EEUSP), autora de *Comunicação tem remédio* e
O amor é o caminho – Maneiras de cuidar

Uma rápida explicação

Caro leitor, cara leitora,

O livro que você tem em mãos é composto por textos que escrevi ao longo dos últimos cinco anos. Alguns deles publiquei no meu blogue No Final do Corredor (www.nofinaldocorredor.com), outros são inéditos. A fim de enriquecer esta obra, convidei meu colega Lucas Cantadori, que já colaborou com alguns textos no blogue e tem um olhar ímpar para as questões da vida e da morte.

No momento em que a editora preparava os originais para publicação, a pandemia de Covid-19 suspendeu o trabalho por alguns meses, mas continuei escrevendo e produzindo. Agora que voltamos ao "novo normal", será um prazer dividir com você as lições de vida dos pacientes que tivemos a sorte de conhecer.

Os textos não seguem uma ordem determinada. Porém, começamos falando da pandemia e em seguida apresentamos o artigo que dá nome a este livro. Escrito em maio de 2016, ele foi divulgado nas redes sociais e viralizou, fazendo que aumentasse ainda mais minha vontade de ver essas histórias publicadas. O nome das pessoas envolvidas e alguns de seus dados foram trocados para manter sua privacidade – exceto os de Gisele ("O sorriso mais lindo do mundo") e Luiz Roberto ("A Rainha de Medjugorje"), que fizeram questão absoluta de que sua identidade fosse revelada para que pudessem ajudar outras pessoas com suas experiências de vida. É de pessoas assim, generosas e especiais, que este livro fala.

Espero que você goste do livro e que seja tocado(a) pelas histórias aqui contidas.

Com carinho,

ANA CORADAZZI

Ciao, amore

Uma tristeza, profunda e sombria, invadiu meu coração quando ouvi os relatos vindos da Europa, descrevendo corpos sendo "velados" em ringues de patinação no gelo, filas de caixões se acumulando pelas ruas e placas nas portas dos hospitais proibindo visitas de qualquer natureza. A sensação de que há algo muito errado nisso tudo não saiu do meu peito. Não estou falando apenas da pandemia em si. Quanto mais ela se espalha pelo mundo, abalando suas bases e fazendo que transformações inacreditáveis aconteçam em tempo recorde, mais penso em como a natureza sempre acha uma maneira de mostrar a que veio, e faz com que nos curvemos a ela. É trágico, doloroso e assustador, mas é o que a natureza é. O que me dói de verdade é ver o que fazemos com isso.

Há alguns anos, fiquei encantada por um projeto de enfermeiras americanas que, tocadas pelo número de pacientes que morriam sozinhos em hospitais, desenvolveram um programa voluntário chamado NODA (*No one dies alone*, ou Ninguém morre sozinho). É na verdade bastante simples: voluntários se revezam fazendo companhia a pessoas que estão vivendo seus últimos momentos e não têm familiares ou amigos disponíveis para estar ali. Eles oferecem algo tão – ou mais – valioso quanto o cuidado da equipe de saúde em si: dignidade. Sempre me lembro da beleza do projeto NODA quando deparo com pacientes sozinhos no leito de morte, e em geral conseguimos proporcionar alguma forma de companhia e atenção para que tenham de quem se despedir – mesmo que seja da própria equipe de saúde, que acaba se tornando sua família. A morte com companhia não é simplesmente uma morte. É o fim de uma história que valeu a pena ser contada.

Mas a Covid-19 parece ter atropelado essa percepção da sacralidade dos momentos finais. A imensa capacidade de contágio do vírus e os enormes estragos que ele pode fazer espalharam muito mais que uma doença: impregnaram as pessoas de medo. E o medo, sabemos bem, atropela a solidariedade, a compaixão e a dignidade com uma facilidade impressionante. Ele nos transforma em seres irracionais.

Num dos dolorosos relatos a que assisti, um senhor bastante idoso, aparentemente cerca de 80 anos, cujo emagrecimento denunciava a presença de alguma doença crônica em fase bem avançada, lutava para conseguir falar com a esposa, tão idosa quanto ele, usando um tablet. Os dois choravam, se despediam, tocavam os dedos através da tela luminosa, numa cena de partir o mais duro dos corações. Fiquei pensando nos anos que eles passaram cuidando um do outro, numa promessa (explícita ou não) de estarem juntos até o final. A esposa muito provavelmente era a responsável pelos cuidados que a doença de base do marido vinha exigindo nos últimos meses ou até anos. Certamente ela estava com ele quando os sintomas da Covid-19 se iniciaram, e talvez tenha sido ela quem o levou à primeira avaliação médica, quando ele tinha apenas uma tosse seca, dor de garganta e uma febrinha, e os médicos a orientaram a levá-lo para casa e mantê-lo em isolamento, só retornando caso ele começasse a sentir falta de ar.

Eu podia vê-la se esforçando para manter a casa impecavelmente limpa, esterilizando objetos e evitando contato desnecessário, fazendo todo o possível para isolá-lo, mas ao mesmo tempo beijando-o antes de dormir, como fez a vida toda, sem nem pensar no risco de ela própria se contaminar. Por mais que se esforçasse, aquela senhora nunca aprendeu os princípios necessários para que a contaminação num caso desses não aconteça. Ela não compreende como o vírus flutua em gotículas de saliva e se deposita em superfícies, e por lá fica esperando alguém que o leve para infectar outro corpo. Ela não vê quando o tal bicho se acomoda em suas mãos, lábios e rosto. Então seu marido piora, não consegue respirar e precisa ir ao hospital. E os médicos lhe explicam que não poderão salvá-lo, porque as condições clínicas dele não permitiriam que ele saísse da UTI. E as enfermeiras dizem que ela não poderá ficar com ele nesses duros momentos finais, porque o risco de contaminação é alto e ela própria poderia morrer também... e mandam que ela vá para casa, prometendo que darão um jeito de ela falar com o marido. E alguém traz um tablet e o coloca nas mãos dele, e é tudo o que eles têm para se despedir. Sem beijos. Sem abraços. Sem palavras tranquilizadoras ao ouvido. Sem privacidade. Sem mais nada. A cena do casal de idosos me doeu por um bom tempo. Eu buscava o que estava tão errado ali. O isolamento, obviamente, era uma medida de segurança necessária, não somente para a senhora, mas também para todos os que entrariam em contato com ela após sua saída do hospital. A decisão de não levá-lo para uma UTI também parecia acertada, dada a condição clínica de óbvia fragilidade do paciente. E o tablet vinha como a medida caridosa que alguém arrumou para tentar minimizar o sofrimento dos dois e deixar a morte dele um pouco mais digna e um pouco menos solitária.

Mas ainda assim eu não conseguia parar de pensar na lógica disso tudo, que me parecia um borrão por trás do medo. Para seguir os rigorosos protocolos que protegeriam centenas de milhares de pessoas, acreditamos que todos os passos preconizados realmente foram seguidos desde a primeira orientação da equipe de saúde. Acreditamos que a tal senhora conseguiu se manter distante do vírus durante os dias em que cuidou do marido em casa. Que ela não se esqueceu de lavar as mãos uma única vez após tocá-lo, e não tirou a máscara dele nem mesmo por um minuto. Que não lhe deu nem sequer um beijo, um abraço. Não dividiu com ele uma bolacha, nem se sentou no mesmo sofá para assistir ao programa de TV preferido dos dois. Assustados e determinados, partimos do princípio de que, ao impedir que ela permanecesse ao lado dele, estaríamos protegendo sua vida. Ingenuidade é algo que profissionais de saúde costumam cultivar em demasia em relação a seus pacientes...

É claro que ninguém que tenha um pouco de juízo e conhecimento científico – como eu acho que tenho – seria capaz de advogar pela quebra dos protocolos de isolamento e ignorar o impacto que eles têm na disseminação da doença e em sua letalidade. Mas nem só de juízo e conhecimento científico se faz um profissional de saúde. Precisamos, e muito, de bom senso e compaixão. É realmente um risco inaceitável permitir a permanência da companheira da vida toda no leito de morte do marido doente? Ainda mais se considerarmos que a chance de ela já estar contaminada pelo vírus é quase tão certa quanto dois e dois são quatro? Será que realmente não podemos garantir a segurança dela com equipamentos de proteção, os mesmos que mantêm profissionais de saúde longe do vírus, para que ela possa ficar algumas horas ao lado dele, enchendo a vida de ambos de dignidade?

Talvez eu esteja subestimando a realidade. Talvez a situação fosse tão crítica que as equipes não pudessem se dar ao luxo de pensar nesse tipo de estratégia – por não terem equipamentos de segurança disponíveis ou pela falta de recursos humanos que auxiliassem a visita da senhora e sua permanência no quarto. Talvez tudo tenha acontecido tão rápido que um tablet foi tudo o que deu tempo de arrumar (e isso por si só já é louvável). Como tanto se diz por aí, é fácil ser o juiz no dia seguinte, ainda mais a quilômetros de distância. Não sei, não sei mesmo. Meu cérebro compreende, mas minha alma morre um pouco a cada dia. São histórias sem final, e não sei lidar com isso.

É um tempo de incertezas e tudo que ouvimos é um talvez atrás do outro... Mas ainda assim não consigo deixar de pensar em como tantas despedidas, que aconteceram e ainda vão acontecer, poderiam ser diferentes. Em quanto estamos despreparados para lidar com o imponderável, escondendo-nos rapidamente atrás de protocolos e fluxogramas quando a coisa realmente aperta, e quando o coração dói de verdade. Dor mesmo. Porque tenho certeza de que a pessoa que trouxe o tablet fez isso por sentir o coração se partindo bem ali, na porta do quarto dele. Despreparados que somos para lidar com as incertezas da vida e do mundo, buscamos a certeza dos números e das estatísticas. Assustados que ficamos com a perda de controle, procuramos nas máscaras e luvas a segurança de que nossas almas precisam. Tudo tão certo, e tão errado ao mesmo tempo... como a Humanidade é.

Direi que me lembro de vocês

Não são tempos fáceis esses de hoje... não é apenas o vírus e todos os riscos físicos que ele nos traz. Tampouco a dificuldade se restringe ao impacto econômico, ou até mesmo emocional. O vírus se acomoda nas superfícies, mas o desafio mais complexo é enfrentado do lado de dentro da pele. Mudanças extremas têm esse poder. Elas reviram nossas crenças, colocam à prova nossos valores, atordoam nossos pensamentos e fazem emergir nossa essência. Do que, de verdade, somos feitos? Que tipo de sentimento o sofrimento alheio nos provoca? Quanto de nós sucumbe ao medo, paralisando nossos atos? Até onde nosso coração é capaz de se expandir? Do que, mesmo, sentimos falta?

Há quem diga que sente falta de sair ao sol, deitar-se na grama, lagartear pelo jardim. Só de pensar na cena, já sentimos saudade do contato próximo com a natureza – e, pasmem, quanto menos contato tínhamos com ela antes do vírus, maior a saudade. A mesma coisa acontece com quem fala da falta que sente da mãe, do irmão, do amigo. Quanto menos se falavam antes, maior a saudade agora. É como a doença: é na perda que entendemos o valor das coisas. Normal. E é nessa normalidade que mora a beleza. Porque não adianta ouvir milhares de pessoas gravemente doentes quando falam sobre valorizar a vida, priorizar a família, curtir cada momento como se fosse o último. Textos, depoimentos, poemas, livros e filmes sobre isso se acumulam aos milhares nas estantes e nos acervos virtuais. Eles nos emocionam, mas raramente nos transformam em caráter definitivo. Precisamos perder.

Mais beleza ainda há nas coisas perdidas em si, aquelas que nos doem o coração. As perdas que doem dizem muito sobre nós. Elas contam ao mundo, timidamente, de que somos feitos. Contam que sentimos um amor infinito pela filha que está crescendo. Que nutrimos um sentimento intenso de fraternidade pelo próximo, ou que o dinheiro tem um papel assustadoramente importante em nossa vida. Contam que somos egoístas, mas não tanto quanto se imaginava. E que nossa criatividade é infinita quando se trata de suprir nossas necessidades. Coisas perdidas que doem expõem nosso lado sombrio e nossos medos, mas os compensam com nossas delicadezas e atos generosos. Elas nos fazem conhecer nosso lado de baixo, e o de cima também. Quando os anjos lhe perguntarem do que você se lembra da vida, o que você vai responder?*

Minha cabeça não tem parado de pensar. Pelo menos, não por vontade própria (preciso realmente obrigá-la a descansar de vez em quando). O que me dói? O que me faz falta? Não é difícil encontrar aquele ponto doloroso no meio do peito. Sinto falta da médica que mora em mim. Sinto falta dos olhares, abraços e sorrisos de pessoas que dão significado à minha vida. Em especial, daqueles que me procuram quando a vida está difícil e desesperançosa. Daqueles que compartilham comigo seus momentos de dor e me incluem generosamente em suas vitórias, por menores que sejam. Trabalhando assim, meio afastada, por trás do telefone ou de uma chamada de vídeo, não posso tocá-los. Mesmo com aqueles a quem ainda preciso ver pessoalmente, há agora um abismo esquisito, que não permite que nos abracemos, que limita o toque e nos restringe a olhares e palavras. Eu me vejo recebendo pacientes na porta do consultório com um menear de cabeça, com cheiro de álcool por todos os cantos, e reduzindo o exame físico ao mínimo necessário antes de

---

* Referência à música "I remember you", de Johnny Mercer e Victor Schertzinger, lançada em 1941: "When my life is through / and the angels ask me to recall the thrill of them all / then I shall tell them I remember you" (Quando a minha vinha acabar / e os anjos me pedirem para me recordar da emoção que vivi / direi a eles que me lembro de você).

inundar o ambiente com álcool outra vez. As consultas se encurtam, o diálogo é mais objetivo (e quase restrito a assuntos relacionados à pandemia), e sobra pouco tempo para sermos apenas duas pessoas partilhando uma experiência única. A incerteza preenche cada canto da sala. Eu sei, estamos ambos ali nos conectando da melhor forma possível, mas há algo de estéril entre nós. É como se parte da vida não pudesse mais ser compartilhada, e isso dói. Fazer parte da vida dos pacientes dá um sentido à minha vida que eu não conseguia dimensionar. Agora que perdi, consigo.

Talvez seja difícil (até impensável) vislumbrar a dependência que um médico pode ter em relação aos seus pacientes. Os médicos são provedores, não usuários. Pelo menos é assim que somos ensinados, e é assim que somos vistos pelos próprios pacientes. Mas o fato é que, em meio ao distanciamento, é possível enxergar até que ponto nós precisamos deles. Talvez precisemos uns dos outros na mesma medida, mas desconfio que essa relação é assimétrica: os médicos recebem mais dos pacientes do que podem oferecer a eles. Fornecemos diagnósticos, explicações, propostas de tratamento e ajuda para superar a doença (isso se formos bons médicos, não estou me referindo a profissionais que não honram seu jaleco). Fornecemos algumas receitas, um acompanhamento individualizado e suporte técnico quando as coisas não estão indo bem. E eles nos devolvem gratidão, e nos revelam seus segredos, e nos ensinam a viver diante da dificuldade. Eles nos olham com a mesma confiança dos nossos filhos pequenos, e colocam a vida em nossas mãos. Eles rezam por nós. É impossível retribuir algo dessa magnitude.

Talvez seja pouco, talvez seja o meu egoísmo se revelando nas palavras. Diante de tantas tragédias no mundo, de tanta dor e preocupação, sentir falta dessa relação próxima com pacientes pode parecer um grão de poeira em meio ao tornado. Mas é de pequenas coisas que o mundo é feito, e é com pequenos passos que caminhamos por ele. Sem nos dar conta do que nos faz melhores, do que nos toca o espírito, do que nos motiva e emociona, seguiremos sempre à deriva, sem vislumbrar o porto onde atracaremos o barco. Quando a tempestade passar, em que ponto do mar estaremos? Por isso, quando ouvi de uma paciente, há alguns dias, que se Deus quiser no retorno ela ia me dar um abraço tão apertado que ficaríamos as duas sem ar, sorri com todos os meus poros e meu coração se desfez ali mesmo, na porta. Se Deus quiser. E, quando os anjos me perguntarem do que me lembro, direi que me lembro de vocês.

(Ir)racionalidades

Setenta e oito anos. Essa era a idade do seu Oscar quando seus dias se encerraram por aqui. Infelizmente, não foi o final que ele tinha imaginado para si nem para sua família. Há dois anos, seu Oscar recebera o diagnóstico de câncer de pulmão, bem avançado. Nesse tempo, entre um tratamento e outro, entre melhoras e pioras, muitos pensamentos lhe passaram pela cabeça, já coroada de cabelos brancos. Seu Oscar era um homem prático. Mesmo sem muita instrução, montou seu negócio (ele vendia peças para carros) e com ele ofereceu uma vida confortável à esposa e aos dois filhos. Enérgico e exigente, participou de cada momento decisivo desde o diagnóstico da doença, e dizia que o adoecer o tinha deixado com o coração mole.

Seu Oscar sabia que não havia perspectiva de cura. Sabia que o tratamento visava melhorar sua qualidade de vida e, com alguma sorte, lhe daria um tempo a mais com os netos. Mais de uma vez perguntou-me como seria no final. Se teria dor. Se teria falta de ar. Se o sofrimento seria muito intenso. Falava sobre não ver sentido em receber suporte ventilatório nos seus momentos finais, e sobre o horror que lhe parecia a morte cercada de monitores, tubos e barulhos numa UTI. E foi com alívio que me ouviu dizer que, caso sua falta de ar estivesse causando muito sofrimento e não pudéssemos controlá-la, ele poderia ser sedado até que sua hora de ir chegasse. Falava (muito) sobre seu desejo de estar com a família até esse último suspiro. E, ao mesmo tempo que pensava no que viria pela frente para si mesmo, organizava o que viria pela frente para sua família. Pragmático que era, organizou seus bens, suas senhas de banco, o seguro de vida. Conversou com os dois filhos sobre como gostaria que cuidassem de sua esposa, também já idosa e com problemas de saúde. Quando a doença mostrou estar tomando o controle da situação, seu Oscar estava pronto.

Mas, nos dias incertos (e insanos) de hoje, "estar pronto" já não basta. Foi no meio da irracionalidade provocada pela pandemia de coronavírus que o câncer de seu Oscar decidiu derrotá-lo. Começou com a piora da fadiga e com a falta completa de apetite. A perda de peso. Um pouco mais de dor nas costas. Por fim, a piora da falta de ar. Foram três semanas assim, controlando a dor num dia, ajustando medicamentos para a falta de ar no outro, providenciando suporte de oxigênio em casa, adaptando a posição da cama. Mas, numa manhã de sol, a sensação de sufocação era grande demais, e todos entenderam que seu Oscar estava perto de ir embora. Ele foi levado ao hospital pelo filho mais velho, com a intenção de ser sedado para que seus últimos momentos fossem dignos e tranquilos, com os filhos por perto e a esposa ao seu lado. O documento que havíamos elaborado juntos, no qual constavam suas decisões sobre recusar o suporte ventilatório, UTI ou outras medidas invasivas, foi levado com ele para que o médico de plantão compreendesse a situação e respeitasse sua vontade. Mas, em tempos de pandemia, as coisas funcionam diferente. Em vez de ser avaliado pelo médico, seu Oscar foi direto à triagem para pacientes com insuficiência respiratória. Uma enfermeira, devidamente paramentada e de quem só se podiam ver os olhos, explicou que o filho de seu Oscar precisaria ir para casa, pois o risco de infecção por coronavírus era muito alto, e os protocolos eram rigorosos. O filho tentou (inutilmente) argumentar que a falta de ar do pai nada tinha que ver com o vírus, e que seus pulmões já vinham parando de funcionar havia tempos por causa do câncer de pulmão. Estendeu para ela o documento com as diretivas de vontade de seu pai. Mas, antes que ele conseguisse terminar de falar, seu Oscar já tinha sido levado ao isolamento. Pouco menos de meia hora depois, antes mesmo de o filho me ligar, ele já fora intubado e estava na UTI-coronavírus, isolado do mundo, onde permaneceu até seus últimos minutos, três dias depois. Sem abraços. Sem mãos dadas. Sem adeus. Sem nada.

Ouvir a história de seu Oscar partiu meu coração em centenas de pedaços. A violência de que ele foi vítima não cabe na minha alma. Justificativas como "qualquer quadro respiratório deve ser tratado como Covid-19 devido ao risco" ou "a intubação não pode esperar porque aumenta a chance de disseminação do vírus" me parecem muito mais fruto do medo do que da razão. A medicina precisa, claro, ser baseada em dados científicos e protocolos de segurança, mas esses dados e esses protocolos precisam ser ajustados a cada situação. É nesse ajuste que está a arte médica. É ele que diferencia médicos e pacientes de máquinas e números. Em que momento nós, médicos, nos esquecemos de que um câncer de pulmão avançado quase invariavelmente termina em insuficiência respiratória, e que isso nada tem que ver com estarmos ou não em meio a uma pandemia? Quando é que desaprendemos que pacientes com doenças terminais irreversíveis não têm indicação de suporte ventilatório e UTI, em nenhum pretexto técnico, simplesmente porque sua situação não poderá ser revertida com esse tipo de suporte? Pior: quando é que passamos a ignorar os desejos expressos dos nossos pacientes, atropelando sua autonomia e seus valores mais sagrados? Quando é, afinal, que reduzimos a medicina a esse pouco que ela é hoje?

Essas perguntas martelavam meu cérebro enquanto eu ouvia o relato dos filhos do seu Oscar. Eles falavam da sensação de impotência, e de se sentirem fracassados por não terem cumprido o desejo do pai. Falavam da dor pela ausência de despedidas dignas, de abraços, de estar perto nos últimos momentos. Do arrependimento de terem levado o pai ao hospital, e da ingenuidade de acharem que um papel assinado seria suficiente para que sua vontade fosse respeitada. "Papéis não valem nada por aqui", disse o mais novo, os olhos no chão. Eu só conseguia pensar que papéis não deveriam valer nada mesmo. Não deveríamos nem mesmo precisar deles. Papéis só fazem sentido quando não podemos confiar plenamente uns nos outros. Servem para garantir que o combinado ali, nas nossas conversas do dia a dia, seja cumprido. Conversas que deveriam valer mais do que dois quilômetros de documentos registrados em cartório e prevalecer sobre protocolos genéricos (e, muitas vezes, incrivelmente mal desenhados). A pandemia (e o medo atrelado a ela) só trouxe à tona o que já vínhamos vivendo há muito tempo: a falta de confiança mútua. Pacientes com medo do sistema de saúde em que estão inseridos, familiares com medo de interpelar os médicos, médicos com medo de ser processados e todos com medo de estar totalmente sozinhos. E o medo, sempre ele, nos faz irracionais.

A pandemia vai passar. Deve demorar. As vítimas podem ser muitas, os medos certamente ainda serão enormes – e as irracionalidades que ainda assistiremos, imprevisíveis. Mas a história nos mostra que os momentos de maior irracionalidade da saga humana, como grandes guerras ou doenças que dizimam populações inteiras, são (quase) sempre seguidos de um salto de qualidade em nossa condição humana. Quando a lógica e a sensatez voltam à cena, vemo-nos mais próximos e reflexivos, e tornamo-nos capazes de efetivar as mudanças de que precisamos para seguir evoluindo em direção a uma espécie melhor do que somos hoje. Poderemos talvez entender, de uma vez por todas, que a medicina não é só técnica e também não é só arte: ela é a mistura indivisível e equilibrada das duas coisas. Caberá a nós sermos médicos melhores do que somos. Infelizmente, seu Oscar não estará aqui para assistir. Muitos não estarão. E é por esses muitos que perdemos (e principalmente pelos que ainda perderemos) que nossa responsabilidade aumenta, a cada dia, a cada decisão que tomamos. Um passo de cada vez.

O médico e o rio

Nos últimos dias tenho me perdido nas páginas do excelente livro do dr. Atul Gawande, *Mortais*. Na obra ele fala, de forma ao mesmo tempo objetiva e angustiante, sobre a montanha-russa de emoções a que médicos se submetem ao lidar com pacientes graves e sem perspectiva de cura. Fala de como somos incapazes de iniciar conversas que realmente importem para essas pessoas e de como conseguimos privá-las de escolhas mais sensatas e compatíveis com sua realidade, escolhas que poderiam proporcionar a elas um final mais digno e feliz.

O livro dele fez que eu, mais uma vez, repensasse minhas atitudes, fragilidades e incapacidades. Meus pensamentos vagaram pelas tantas conversas inúteis que tive com pacientes que partiram pouco tempo depois, conversas que pouco ajudaram essas pessoas a encontrar a melhor forma de viver seus últimos dias. Lembrei-me também das vezes em que tive uma conversa realmente importante, que foi definitiva nas decisões dos pacientes e de seus familiares, e de como a vida deles mudou depois disso. Pensei em como as palavras certas, no momento certo, podem mudar uma história. Mas a angústia continua a nos consumir. Como saber qual é o momento de falar sobre perspectivas, chances, desejos, decisões? Como adivinhar se aquela pessoa sentada à nossa frente está em condições de compreender o que a espera? Como nós, médicos, podemos nos posicionar diante de situações tão individuais quanto os próprios seres humanos? Não há diretrizes ou protocolos para algo assim. E o maior problema continua sendo nossa postura como médicos: a de que somos guardiões da vida alheia, a qual é responsabilidade nossa. Não somos.

A paciente de um colega oncologista uma vez disse a ele, enquanto conversavam sobre suas perspectivas: "O importante é considerar os riscos da travessia". Ela via sua doença e sua vida como um rio que precisa ser atravessado. Ao ouvir a frase dela, eu me transportei para a beira do rio e, aos poucos, fui compreendendo o que ela quis dizer. Ao receber um novo paciente, com uma doença grave, penso que estamos ambos sentados à margem do rio. O paciente precisa atravessar para a margem oposta. Ele tem de fazer isso antes que anoiteça. Eu não conheço o paciente, mas conheço bem o rio. Sei onde ele é mais fundo, sei em que época ele é cheio de piranhas, sei quando tem corredeira. Meu paciente não. Só que é ele quem precisa atravessar, e tem de atravessar agora. Não vai dar para esperar a melhor época do ano, quando as águas estão mais favoráveis à travessia. E ele conta com o que sei sobre aquelas águas para tentar chegar com segurança ao outro lado.

Às vezes, o rio é estreitinho, e posso dizer para o paciente: "Pule, garanto que você chega ao outro lado sem nem molhar os pés!" E ele vai, e fica tudo bem. Às vezes, o rio é mais largo, não dá pra pular, mas eu conheço um trecho onde ele é mais raso, e posso dizer ao paciente: "Olha, você vai se molhar, mas vai chegar ao outro lado com segurança!" E ele vai. Chega encharcado, mas sorri agradecido e segue seu caminho.

Só que, muitas vezes, o rio é bem largo e bem fundo. É tão largo e tão profundo que serei muito mais criteriosa ao avaliar as chances de o paciente chegar ao outro lado. Vou ter de perguntar, por exemplo, se ele sabe nadar, se o preparo físico dele está em dia, se ele tem medo de água fria. Dependendo do que ele responder, poderei orientá-lo sobre os riscos da travessia, e ele poderá decidir se quer corrê-los. Talvez meu paciente não saiba nadar. Talvez ele esteja numa condição física tão ruim que, apenas de olhá-lo, sei que não conseguirá chegar ao outro lado. Nessa hora precisarei ajudá-lo a tomar as decisões certas, para que ele não morra se debatendo desesperado no meio do rio gelado. Se ele decidir correr o risco, vou pegar minha canoa e atravessar do seu lado, orientando cada braçada. Estarei ao seu lado se ele não conseguir completar a travessia, e garantirei que sua despedida seja digna e tranquila. E, se ele quiser permanecer na margem, não tem problema. Ficarei com ele, fazendo companhia, até a noite chegar.

Definitivamente, não temos o poder que imaginamos sobre a vida das pessoas. Nem sequer somos capazes de salvar todas as vidas: na melhor das hipóteses, conseguimos adiar o momento da morte ou trocar uma forma de morrer por outra, que ocorrerá um pouco mais adiante. Salvar, mesmo, não dá. E assim, olhando para o rio, fica fácil entender que estamos muito mais para "equipe de apoio" do que para guardiões da vida dos nossos pacientes. Então, que sejamos a melhor equipe de apoio com que eles possam contar. Sempre.

O gosto amargo das framboesas

Muitos anos atrás, numa época em que eu estava começando a aprender como funcionavam os estudos que testavam novos medicamentos para o tratamento do câncer, uma colega me pediu ajuda para preparar uma aula sobre pesquisa clínica, que seria ministrada num congresso médico. Tudo que envolvia pesquisas com novos medicamentos me empolgava. Como oncologista, eu assistia a avanços surpreendentes no tratamento dos mais diversos tipos de câncer. Via a cura de pacientes que, poucos anos antes, não teriam nenhuma chance de sobreviver à doença. Mesmo quando a cura ainda não era possível, conseguíamos aumentar (consideravelmente) o tempo dos pacientes e permitir que eles sonhassem e tivessem uma vida mais digna e plena. Qualquer nova droga que surgia no horizonte, mesmo com estudos preliminares, enchia-me de esperança e empolgação. Eu queria prescrevê-las todas, para todos os meus pacientes. Para um médico, poucas coisas são mais eletrizantes do que oferecer um novo tratamento a um paciente desesperançoso. É o momento em que mais nos aproximamos de uma divindade, e nos tornamos quase super-heróis. Assim, não pensei duas vezes ao aceitar ajudar minha colega, e lá fomos nós.

Nas semanas seguintes mergulhamos no estudo dos primórdios da pesquisa clínica, buscando entender como a ciência tinha chegado aos dias de hoje com tantos feitos incríveis e resultados quase milagrosos. E, quanto mais estudávamos, mais abismadas ficávamos; não pelos muitos sucessos, mas pelos assustadores fracassos. Líamos histórias repugnantes sobre os tempos em que pesquisas cruéis eram praticadas em seres humanos sem nenhuma preocupação com sua segurança ou bem-estar. Víamos fotografias de judeus nos campos de concentração da Segunda Guerra Mundial, quando eram transformados em "sujeitos de pesquisa" pelo médico alemão Josef Mengele e submetidos a atrocidades indescritíveis em nome da ciência. Conhecemos casos escabrosos de preconceito racial, como a "pesquisa" realizada com homens negros portadores de sífilis numa universidade americana (com apoio do governo) na qual essas pessoas não recebiam nenhum tratamento para a doença para que se pudesse estudar a evolução dela – mesmo já sendo amplamente conhecido e divulgado no mundo todo que a penicilina poderia tratá-los com sucesso. Muitos sofreram com os sintomas cruéis da doença e morreram dela sem nenhum tratamento. E, obviamente, sem nenhuma dignidade.

Já estávamos convencidas de que tais atrocidades só aconteciam por ser praticadas por "pesquisadores" cruéis e mal-intencionados (que se preocupavam mais com seu prestígio científico do que com os benefícios que suas descobertas poderiam trazer à Humanidade), até que deparamos com o incidente da sulfonamida, ocorrido em 1937 nos Estados Unidos. A sulfonamida era um antibiótico amplamente utilizado para o tratamento de infecções por estreptococos com uma eficácia impressionante, mas que até então só era disponibilizado na forma de comprimido ou pó. Isso limitava seu uso na população pediátrica, o que levou o farmacêutico e químico Harold Cole Watkins a testar substâncias nas quais o pó de sulfonamida pudesse ser diluído e, assim, administrado às crianças. Watkins descobriu que o dietilenoglicol se prestava perfeitamente a isso, garantindo ótima diluição da sulfonamida. Rapidamente a empresa farmacêutica responsável conseguiu associar fragrância e coloração de framboesa à diluição, produzindo mais de 600 frascos para envio imediato para todo o país. Em menos de 15 dias, cerca de 130 pessoas, na maioria crianças, morreram envenenadas ao se intoxicarem pelo dietilenoglicol, hoje reconhecido como substância tóxica para seres humanos, podendo causar insuficiência renal e sintomas neurológicos graves.

O incidente da sulfonamida nos deixou com o coração sombrio. Era uma droga já amplamente utilizada em adultos, com grande sucesso no controle dos quadros infecciosos e efeitos colaterais mínimos. Todos os indícios apontavam para o provável sucesso também no tratamento de crianças. Provavelmente Watkins foi tomado pela mesma empolgação que nós duas tínhamos ao oferecer novos tratamentos para nossos pacientes com câncer e, certamente, seu coração estava inundado de boas intenções quando diluiu o remédio eficaz num veneno letal. Entendemos, no fundo da nossa alma científica, que a ciência não pode ser feita apenas com boas intenções. Foi a partir de experiências escabrosas como essas que o método científico e os princípios da bioética se desenvolveram: para proteger os pacientes de pesquisadores mal-intencionados, de interesses farmacêuticos torpes e, também, de médicos bem-intencionados que possam colocá-los em risco sem intenção de fazê-lo.

Às vezes, é duro aceitar as limitações da medicina. Não é fácil lidar com um paciente ainda tão cheio de sonhos sentado à sua frente, mas para o qual não existe nenhum tratamento comprovado que possa controlar seu câncer. Meu coração dói ao vê-lo com medo, ao assisti-lo reprogramar sua vida para um tempo muito mais curto do que ambos gostaríamos. Meu cérebro luta contra esse tremendo desconforto tentando antecipar resultados de estudos, extrapolar dados de tratamentos testados para outras doenças ou, até mesmo, tentando convencer a mim mesma de que, se o medicamento já foi testado um dia, mesmo que num contexto totalmente diferente, é seguro prescrevê-lo (o que custa tentar, né?).

Eu adoraria (mesmo) fazer tudo isso, mas minhas mãos estremecem ao pensar no gosto amargo que minha empolgação pode gerar: gosto de framboesa. É nesses momentos de angústia que me lembro do princípio mais importante da medicina: *Primum non nocere et in dubio abstine* ("Em primeiro lugar, não cause dano; se em dúvida, abstenha-se de intervir"). Não posso oferecer milagres aos pacientes e muito menos iludi-los com tratamentos que ainda não sabemos se podem beneficiá-los – e, pior, que podem resultar em ainda mais sofrimento. Todos os anos temos ao nosso alcance uma infinidade de novas drogas cujos resultados preliminares se mostraram promissores, mas que ao serem testadas de forma mais incisiva se provaram inúteis ou até maléficas aos pacientes. São incontáveis as situações em que já vimos isso acontecer. E, quanto mais nos familiarizamos com a análise crítica dos resultados dos estudos clínicos, mais criteriosos ficamos antes de indicar um tratamento a alguém. Acreditem, é preciso ter muito mais coragem e compaixão para não indicar um tratamento do que para indicá-lo.

Hoje, muitos anos depois daquela aula e de todo o aprendizado que ela nos trouxe, meu olhar sobre os feitos da medicina mistura a ciência e a compaixão. Todos os dias fiscalizo meus pensamentos e minhas palavras para que o desejo de ajudar um paciente tenha o mesmo peso que o receio de lhe causar dano. Respeitar o rigor científico necessário para prescrever determinado tratamento expõe nossos pacientes a menos riscos, e isso é muito bom. Mas há outro motivo para que essa seja a postura mais sensata, sobretudo diante de situações críticas para as quais a medicina ainda não encontrou uma solução: o rigor científico nos torna mais humildes. Entender que não temos solução para tudo, que não somos capazes de controlar a natureza humana a nosso bel-prazer e que somos tão frágeis quanto qualquer um de nossos pacientes nos faz mais humanos e sensíveis – e nos aproxima das pessoas em seus momentos mais difíceis.

Quando a medicina não pode oferecer nada a elas, é nossa alma humana quem pode ajudá-las. É ela quem pode manter a serenidade e oferecer aos pacientes a consciência de que precisam para vivenciar suas duras experiências. É ela que não permitirá que eles se percam em meio às expectativas irreais, desperdiçando um tempo precioso e um aprendizado irrecuperável. Nossa alma humana, despida de ilusões e de arrogâncias sem sentido, é que estará lá, ao lado deles, criando os laços mais bonitos que somos capazes de construir: os de nos reconhecermos humanos, falíveis e mortais.

Dois ouvidos, uma só boca

Durante os anos de faculdade, nós, médicos, recebemos pouca ou nenhuma formação a respeito de como devemos nos comunicar com os nossos pacientes. Na verdade, muitas vezes acabamos simplesmente replicando atitudes, palavras e gestos de professores e colegas, e aprendemos dolorosamente quando fracassamos no relacionamento com pacientes e familiares. Às vezes nos perdemos em situações complexas, sem saber como lidar com o sofrimento e com nossas limitações. Já presenciei inúmeras ocasiões em que o relacionamento entre o colega médico e seu paciente foi pouco mais que uma conversa dessas que se tem, por exemplo, com o caixa do banco – ou com o vizinho estranho do andar de cima. E é sempre extremamente frustrante, tanto para o médico quanto para o doente. Eu me considero alguém de muita sorte. Tive dois mentores que moldaram a minha forma de enxergar a comunicação com os pacientes – na verdade, com as pessoas de modo geral.

O primeiro foi um grande professor da faculdade, de renome internacional, com inúmeros livros publicados e uma importância sem igual na comunidade médica. Um dia, depois de muito tempo reunindo coragem, bati na porta da sua sala para pedir-lhe que me orientasse num trabalho acadêmico. Esse homem memorável me recebeu com um sorriso desconcertante, me convidou a sentar e perguntou, com uma humildade tocante: "Então, moça, em que posso ajudar você?" Ouviu pacientemente meu esboço de projeto (que, hoje eu vejo, era medíocre), conversou comigo por mais de uma hora, redesenhou o trabalho comigo e se empenhou para que conseguíssemos uma bolsa de estudos para mim. Eu era uma simples aluna do quarto ano, ou seja, quase nada. O respeito com que ele me tratou faz parte da minha vida até hoje, permeando meus próprios relacionamentos.

O segundo foi um médico em cuja equipe trabalhei logo após o término da residência. Ele era chamado quando havia algum paciente-problema, família estressada ou qualquer situação que ninguém estivesse conseguindo resolver. Invariavelmente se sentava com a pessoa em questão, sem se preocupar com a hora. E invariavelmente deixava que a pessoa falasse tudo que quisesse, sem desviar os olhos dela. Escutava. Às vezes, movia a cabeça em sinal de compreensão ou dizia algo como "Sim, estou entendendo". Ele fazia isso até que a pessoa estivesse calma o bastante para conseguir ouvi-lo. Só então, e jamais antes disso, ele procurava dar explicações. Desculpava-se por algum erro eventual da equipe, propunha ações corretivas e assegurava que a colocação da pessoa era muito importante para todos nós. Presenciei essas conversas mais de uma vez, e em todas elas a pessoa se despedia tranquila, agradecida e feliz. Por pior que tivesse sido sua experiência.

Há algumas semanas precisei lidar com a filha de uma paciente que estava em seus momentos finais. Ela fora internada em nossa unidade havia poucos dias, e coube a mim a difícil tarefa de explicar-lhe as limitações do tratamento e a gravidade da situação atual. Quando a paciente começou a piorar vertiginosamente, a filha entrou em pânico. Assim que pisei no quarto, ela começou um discurso revoltado e agressivo, acusando-me de ter sido cruel com a mãe, de ser uma pessoa fria que jamais poderia entender a dor de perder alguém tão especial como ela. Meu primeiro sentimento foi de indignação. Eu tinha certeza de que havia lidado com a situação da forma mais carinhosa e delicada possível. Senti uma raiva brotando por dentro, e uma enorme vontade de mandar que ela se retirasse imediatamente. Mas, logo a seguir, meus dois mentores me vieram à mente e me coloquei no lugar dela. Deixei que ela falasse, que esgotasse todos os seus argumentos. Quando se acalmou, peguei suas mãos e disse, olhando bem nos seus olhos: "Acredite, eu sei que a dor que você está sentindo é insuportável. Também perdi meu pai há pouco tempo e quase não aguentei. Só peço que você tente me ver como alguém que está do seu lado, não contra você". A partir desse momento, conseguimos conversar. A psicóloga deu assistência a ela e, dois dias depois, quando a mãe finalmente se foi, ela voltou para agradecer o carinho. Seu coração estava em paz.

Fiquei pensando na tragédia que teria sido o desfecho dessa história se eu tivesse seguido meus instintos. Provavelmente teria se criado um clima de tensão insuportável entre a moça e toda a equipe, causando frustração e desconforto para todos nós – e, o pior de tudo, aumentando imensamente o sofrimento dela, que já era gigantesco. Só de pensar nisso tenho calafrios. Não foram minhas palavras que fizeram tanta diferença. Foi o meu silêncio enquanto a escutava. É em situações como essa que me sinto invadida por uma onda de gratidão pelas pessoas especiais que passaram pela minha vida e, meio sem perceber, me transformaram em quem eu sou. Pessoas que compreendiam, em toda a sua magnitude, o sábio ditado oriental que prega que temos dois ouvidos e uma boca para que possamos ouvir duas vezes mais do que falar. Para nós, médicos, a proporção deveria ser de quatro ouvidos para uma boca. E seria magnífico se nossa boca viesse equipada com um filtro contra comentários inúteis, agressivos ou simplesmente imbecis.

Hoje é dia de ir ao médico

Há alguns dias, chegando cedinho ao consultório, deparei com uma senhora bem idosa numa cadeira de rodas, conduzida por um senhor tão idoso quanto ela; ambos estavam acompanhados de uma mulher. Todos aguardavam na porta de entrada. Supus que era uma paciente nova esperando para me consultar, mas tinha chegado cedo demais. Abri rápido para que eles pudessem aguardar a consulta mais confortavelmente e fui organizar tudo para começar o atendimento do dia. Ao abrir a agenda, vi que a consulta da tal senhora estava agendada para dali a quase duas horas... Olhei para o relógio e considerei que seria absurdo deixá-la esperando tanto tempo, então antecipei o atendimento. Assim que eles entraram, a nora agradeceu a gentileza e se apressou em explicar o motivo do adiantamento.

Dona Nair recebera o diagnóstico de câncer de reto havia cerca de três semanas, já com metástases no fígado e no pulmão. Várias estratégias de tratamento tinham sido cogitadas em sua cidade, mas diante da idade avançada dela os filhos estavam muito preocupados com o que aconteceria a seguir. Foi então que começou a busca da melhor alternativa para a dona Nair, que ocupara desde sempre o cargo de coração da família. Sua doença era algo totalmente inesperado e assustador, e eles queriam ter certeza de decidir pelo melhor caminho. Haviam conversado com médicos próximos e com pacientes oncológicos conhecidos da família; por fim, fizeram uma longa busca na internet, chegando então à nossa clínica. Como moravam a quase duzentos quilômetros de distância, os dias que antecederam a consulta haviam sido destinados aos preparativos – da vinda da nora para acompanhá-la aos detalhes do transporte, possibilidade de internação e pedidos de licença no trabalho dos filhos. Dona Nair tinha se levantado de madrugada, tomado banho e um café da manhã apressado, e às cinco horas da manhã eles já estavam no carro, a caminho. Olhei para ela, franzina e sorridente, os cabelos penteados para o lado e presos com uma fivela tic-tac. Vi seus brincos, o batom clarinho e a bolsa alojada no colo. Ao lado dela, uma sacola com um casaco (caso esfriasse), bolachas e uma garrafa de água. Aquela senhora viera preparada.

Após pouco mais de uma hora, eles já tinham esclarecido suas dúvidas e estavam prontos para a viagem de volta, cheios de informações e decisões a tomar. Vendo os três indo embora, um pensamento invadiu a minha mente: o tempo e a energia despendidos por todos eles durante aqueles dias. A busca de informações, o agendamento da melhor data possível, os preparativos para a viagem, os transtornos para organizar as rotinas de todos, o sacrifício de acordar tão cedo e pegar uma estrada tortuosa para não chegarem atrasados, tudo isso carregado de expectativas. Tudo isso para que eu dedicasse a eles uma parcela tão pequena do meu tempo.

É claro que não sou ingênua a ponto de imaginar um mundo no qual acontece um relacionamento mágico entre os médicos e seus pacientes em cada consulta e onde médicos dispõem de um tempo ilimitado para atendê-los e ouvir tudo sobre sua vida, desde o dia em que nasceram. Na verdade, sei bem como nossa realidade é outra. Mas o que me comoveu foi me dar conta de quanto passamos a ter importância na vida de pessoas que ainda nem conhecemos e como pequenos atos ou palavras nossos podem ter um impacto eterno na trajetória delas. É um papel de muita honra, e também de imensa responsabilidade. O mínimo que deveríamos oferecer é um pouco de atenção e paciência.

Fácil? Nem perto disso. Por debaixo do jaleco há angústias pessoais, questões familiares, contas a pagar, problemas de saúde. E também existe a onipresente escassez de tempo. Mas eu realmente acredito que é possível atender dignamente um paciente (e sua família) em um tempo restrito. São necessários treinamento e, mais importante ainda, experiência. Não estou falando da experiência médica técnica, medida pela quantidade de pacientes atendidos durante sua carreira, número de artigos científicos lidos ou tratamentos prescritos. Eu me refiro especificamente à experiência com os relacionamentos humanos. Falo da prática diária da escuta ativa, na qual conscientemente voltamos toda a atenção para o interlocutor à nossa frente. Aprendemos o significado de cada reação e gesto, bem como suas consequências futuras (boas ou péssimas). E aprendemos que as palavras devem ser usadas para obter um bom resultado em cada situação, em cada momento. Aprendemos a usar os olhos, o tom de voz, a posição na cadeira, o sorriso. E chega um ponto em que somos capazes de, em poucos minutos, estabelecer laços de empatia e confiança. Pronto.

O exercício consciente e diário dos relacionamentos é uma ferramenta poderosa que – é uma pena – pode ser facilmente ignorada e desvalorizada pelo médico, em nome da falta de tempo ou de qualquer outra desculpa. Digo que lamento por dois motivos. O primeiro é que, acreditando que uma consulta rápida (e sem olhar para o paciente) pode poupar seu tempo, o médico apenas cria um problema maior mais tarde, quando vai gastar o dobro do seu tempo precioso explicando complicações que não previu, corrigindo diagnósticos malfeitos, interpretando exames desnecessários, esclarecendo pela quarta vez a mesma dúvida. O segundo, e mais importante, é que ele perde a valiosa oportunidade de se tornar um médico cada vez melhor. Mais do que isso, perde a chance de se tornar uma pessoa que realmente faça diferença na vida dos outros. E poucas coisas são mais lamentáveis do que isso.

Como os médicos morrem?

Algum tempo atrás li um artigo emocionante, escrito pelo médico Ken Murray, da University of Southern California. No texto ele conta a história de um amigo, ortopedista, que alguns anos antes recebeu o diagnóstico de câncer de pâncreas. Apesar de estar nas mãos de um grande cirurgião, especializado nesse tipo de doença e extremamente capacitado para conduzir o caso, o ortopedista recusou o tratamento. Foi para casa, procurou ficar o máximo de tempo possível com a família e otimizar sua qualidade de vida por meio do controle dos sintomas da doença. Alguns meses depois, ele faleceu em casa. Não recebeu quimioterapia, radioterapia nem tratamentos cirúrgicos. Nada.

O fato é que, por incrível que pareça e por mais incômodo que seja, médicos também morrem. E, como qualquer outra pessoa, não gostam da ideia de morrer. A diferença dos médicos em relação aos outros pacientes não está na quantidade de tratamentos a que eles têm acesso, mas no número diminuto de tratamentos a que eles próprios se submetem. Os médicos tendem a ser mais serenos e realistas quando encaram a possibilidade de morrer. Eles sabem exatamente o que vai acontecer, conhecem suas opções, e quase sempre têm acesso a todos os tratamentos disponíveis. Mas partem suavemente, de forma quase que submissa.

É claro que os médicos não desejam morrer. Eles querem viver. Mas sabem o bastante sobre a medicina moderna para conhecer seus limites. Além disso, compreendem de forma profunda o que as pessoas mais temem: morrer em grande sofrimento e sozinhas. Os médicos costumam falar sobre isso com seus familiares. Deixam claro que, quando for sua hora, não querem ninguém quebrando suas costelas na tentativa improvável de ressuscitá-los. Muitas vezes, falam sobre isso poucas horas após eles próprios terem feito exatamente isso com seus pacientes (eu mesma já fiz). A maioria dos profissionais de saúde já viu (e praticou) demais o que chamam de "futilidade médica": quando se usa todo o arsenal mais moderno disponível para uma pessoa gravemente doente, que está claramente no final da vida. Eles já viram pessoas sendo cortadas, perfuradas com tubos e agulhas, colocadas em máquinas barulhentas (e sedadas para suportar a tortura), além da infinidade de remédios correndo em suas veias. E morrendo poucos dias (até horas) depois. Já ouvi de colegas angustiados frases como: "Prometa-me que, se um dia eu estiver nessa situação, você vai me deixar partir. Não deixe que façam isso comigo". E é assim mesmo.

Mas, então, por que eles agem assim com seus pacientes? Por que fazem com os outros o que abominam para si mesmos? O grande problema aqui é também a origem de praticamente todos os problemas do mundo: a má comunicação. Uma família que vê uma pessoa querida em grande sofrimento faz pedidos do tipo: "Doutor, faça tudo que puder por ele, use todas as estratégias que você conhecer nesse caso". E o pesadelo começa. Na verdade, a tradução do pedido angustiado da família talvez fosse "doutor, faça o que puder para aliviar o sofrimento dele. Ele não merece viver dessa maneira". A abordagem, provavelmente, seria bem outra. A mesma confusão pode acontecer quando o médico pergunta ao seu paciente se ele deseja continuar o tratamento. O paciente pode entender que, se disser "não", será abandonado pelo médico e morrerá exatamente do jeito que o apavora: sofrendo e sozinho. O mesmo paciente poderia responder com um grande e aliviado "sim" se ouvisse uma proposta do tipo "a sua doença não está respondendo aos tratamentos que temos tentado, e eles estão deixando você ainda mais debilitado do que o próprio câncer. O que você acha de pararmos de nos preocupar com sua doença e dirigir nossos esforços para melhorar ao máximo a sua convivência com ela?"

O fato é que todos nós, pacientes, médicos e familiares, sofremos as pressões do sofrimento extremo, do tempo, do sistema de saúde, da própria formação médica e das crenças culturais na hora de tomar uma decisão drástica. Mas somente os médicos sabem o que acontece depois. Eles tendem a não aceitar tratamentos excessivos e com poucas chances de sucesso. Muitos buscam formas de morrer na própria casa, esmerando-se no controle da dor e de outros sintomas, buscando significado para sua vida e oferecendo o melhor de si às pessoas que amam. A própria literatura médica oferece base para esse tipo de decisão. Estudos têm demonstrado que pessoas com câncer hospedadas em *hospices** ou acompanhadas por serviços de cuidados paliativos vivem mais – e melhor – do que aquelas com o mesmo diagnóstico que recebem tratamentos oncológicos até o final da vida.

Cabe a nós, médicos, oferecer aos pacientes a informação que nos é disponível. Cabe a nós permitir que eles compreendam que a morte não é algo a ser evitado a todo custo, e sim um momento da vida, como qualquer outro. Em várias situações, ela simplesmente não pode ser evitada, apenas adiada, e o custo disso por vezes é um sofrimento intenso e desnecessário. O "prolongamento da vida" pode, na verdade, ser apenas o prolongamento do processo de morrer. Muitas vezes, com o paciente em grande sofrimento e sozinho. Um motivo e tanto para que os médicos não queiram passar por isso.

---

* A palavra *hospice* vem do latim e significava "hospedagem". Referia-se a locais que acolhiam peregrinos nas estradas da Europa. Hoje o termo é utilizado para instituições nas quais são internados pacientes com doenças graves e irreversíveis, na fase final da vida. Os pacientes recebem cuidado multiprofissional, incluindo médicos, enfermeiros, psicólogos e vários outros, com o objetivo de obter conforto e alívio do sofrimento.

A Rainha de Medjugorje

Quando conheci Luiz Roberto*,* em 2008, não tinha a menor ideia da história quase inacreditável em que me envolveria. Na época, ele recebera o diagnóstico de câncer no intestino, recém-operado, e foi ao meu consultório para iniciarmos a quimioterapia adjuvante, que aumentaria suas possibilidades de cura. Foram seis meses de muitas risadas. Rimos de muitas coisas, mas principalmente da barriga dele, cada dia mais proeminente, muito bem alimentada (Luiz era um glutão incorrigível nessa época...). A quimioterapia terminou, seguiu-se a fase de acompanhamento, com tomografias e exames de sangue periódicos, e Luiz estava sempre muito bem. Quando se passaram cinco anos do término do tratamento, tentei convencê-lo (em vão) a parar de vir me ver. Meus argumentos de que após esses cinco anos a doença não deveria mais retornar não o comoveram, e concordamos em nos ver pelo menos uma vez por ano, para matar as saudades.

Em 2016 foi a vez da esposa dele, Liliana, precisar da minha ajuda. Um câncer de mama, bem inicial, foi detectado em seus exames de rotina, e começamos o tratamento. Foi no meio de tudo isso que os exames de sangue do Luiz começaram a ficar alterados (mais especificamente o CEA, que pode indicar a presença de tumores intestinais). Já tinham se passado quase dez anos do primeiro diagnóstico, e a probabilidade de uma recidiva daquele primeiro tumor era ínfima. Mas aprendi que "ínfima" não é o mesmo que "nula", e infelizmente a recidiva surgiu, traduzida num grande nódulo no fígado e numa massa extensa, próxima do duodeno. A biópsia confirmou o que as estatísticas não consideram: metástase de adenocarcinoma intestinal. E, dessa vez, o cirurgião não via como operá-lo.

Minha tristeza, naquele dia, era quase palpável. Eu não conseguia acreditar. Ele e Liliana se sentaram à minha frente para ouvir essa notícia difícil, justamente da boca da médica que estava tão certa da cura dele que teve de ser convencida a não lhe dar alta... Mas, depois de todo esse tempo juntos, Luiz e Liliana já eram mais meus amigos que pacientes e tiveram a generosidade de compartilhar comigo sua religiosidade inabalável. Em vez de revolta, vi resignação. Em vez de desespero, vi coragem. Em vez de medo, vi esperança. Nossa Senhora estava com eles ali na minha sala. Poucos dias depois, viajei de férias para Fátima, em Portugal. Assim que entrei no santuário, o olhar de fé dos dois me veio à mente. Não sou católica, mas a fé para mim é assunto sério. Consegui uma medalhinha benta, coloquei no fundo da minha bolsa e entreguei ao Luiz ainda na sala de espera, assim que retornei da viagem. Junto com a medalhinha, ia todo o carinho que sinto por eles e todo o meu desejo de que ele ficasse bem.

Começamos a quimioterapia, com os efeitos colaterais tão familiares a ele, mas as coisas não iam bem. O tal do CEA continuava subindo, e já na primeira reavaliação com tomografias percebemos o aumento da lesão no fígado. Mudamos o tratamento, o que maltratou bastante o Luiz, e nada. A doença parecia ignorar nossos esforços. A cada constatação de piora, eu sentia o olhar tenso dos dois, que sempre se seguia de palavras de fé. Haviam se passado apenas seis meses do diagnóstico da recidiva e ele já recebera os dois principais tratamentos disponíveis para essa situação. Propus tentarmos uma terceira linha de tratamento, com comprimidos recém-aprovados no Brasil. E, então, Luiz e Liliana sumiram. Não vieram à consulta agendada, não conseguíamos contato com eles. Fiquei com receio de que o pior tivesse acontecido.

Alguns dias depois, Liliana ligou para nos contar que ele estava internado em São Paulo para uma cirurgia. Meu coração se apertou, de verdade. A cirurgia já tinha sido contraindicada pelo nosso cirurgião quando a doença estava menos volumosa, imagine agora, com a extensão mais proeminente e com Luiz mais debilitado pela quimioterapia... Mas me lembrei da fé dos dois, das suas decisões e reações sempre baseadas na proteção de Nossa Senhora, e deixei por conta dela o destino dos dois.

Um dia, longos quatro meses depois, vi o nome de Luiz na agenda do dia. Meu coração saiu pela boca. Nossa, o que será que tinha acontecido com ele? Abri a porta e o vi, todo sorridente, caminhando pelo corredor na minha direção. Muitos quilos mais magro (finalmente!), andando um pouco mais devagar que o normal, mas o homem sorridente e bem-humorado estava lá. Ele me contou, emocionado, o calvário enfrentado em São Paulo: uma primeira grande cirurgia para retirar parte do fígado e uma hemorragia gravíssima no abdome poucos dias depois, que lhe rendeu uma nova cirurgia (dessa vez de emergência) e mais de uma semana na UTI. Contou como decidiu enfrentar outra operação (a terceira!), para retirar o restante de doença que ainda sobrara no fígado. Falou da dificuldade de ficar tão longe de casa, da abnegação da família, do sofrimento físico, da tensão e, claro, da fé em Nossa Senhora. Liliana completava o relato, e os dois se emocionavam e choravam o tempo todo (só para constar, eu também chorei nesse dia). Segundo o cirurgião de São Paulo, a cirurgia fora um sucesso, e agora ele deveria iniciar o tal tratamento com comprimidos que eu propusera meses antes. Olhei os exames e fiquei preocupada: o CEA (sempre ele...) vinha novamente aumentando depois do procedimento. Mas a animação de todos era tão grande que resolvi, mais uma vez, deixar para Nossa Senhora resolver. Que seja o que ela quiser.

Luiz tomava os comprimidos com a alegria de quem sabe que teve uma nova chance rara. Mal tinha efeitos colaterais (e, mesmo que tivesse, desconfio que não se incomodaria). Mas o tal do CEA mantinha sua lenta ascensão, deixando meu coração em frangalhos enquanto olhava para os dois na consulta. No meu raciocínio, moldado pela ciência, isso só tinha um significado possível: recidiva da doença, sem resposta ao tratamento atual. Respirei fundo. "Vamos insistir mais um pouco... quem sabe?", pensei. E foi aí que ele veio com a ideia de fazer uma peregrinação. Queria visitar Medjugorje (lê-se Mediugórie), na Bósnia-Herzegovina, vizinha à Croácia. Foi nesse vilarejo que Nossa Senhora fez suas aparições mais longas, em 1981. Quando ele me perguntou se eu achava que ele deveria ir, não tive a menor dúvida: "Claro que sim!"

Luiz foi com a filha, Bruna, e a viagem revelou-se tão mágica quanto se poderia esperar. Foram dias cheios de emoção, oração, agradecimentos, devoção, resignação. Ele voltou transformado. Era como se a energia houvesse tomado conta dele outra vez. Trouxe uma imagem maravilhosa da santa para mim (que, aliás, deve ter dado um imenso trabalho logístico para chegar às minhas mãos). Mas trouxe mais que isso: seus exames tinham começado a melhorar. Na verdade, pouco depois de sua decisão de viajar, o CEA diminuíra um pouquinho. Duas semanas antes da viagem, a queda fora ainda mais expressiva. E agora, de volta da peregrinação, ali estava o exame, dentro dos limites da normalidade. Assim como seus exames de imagem. Eu checava o nome do paciente, a data de coleta, o laboratório, e estava tudo certo. "Meu Deus, será que é isso mesmo?" Era. O exame seguinte continuava normal, e eu mal cabia em mim. Talvez o sucesso da cirurgia tivesse demorado um pouco a se revelar. Talvez o tratamento oral estivesse funcionando de forma espetacular e muito acima das expectativas. Mas eu não conseguia deixar de pensar que Nossa Senhora de Medjugorje, lá da Bósnia-Herzegovina, pudesse ter responsabilidade nessa história...

Não são poucos os milagres que presenciamos nessa vida de oncologistas. Nem sempre os milagres estão relacionados a curas inesperadas, resultados surpreendentes ou diagnósticos extraordinários. Se formos capazes de olhar para os detalhes, veremos milagres espalhados por todos os cantos. Mudanças de comportamento que transformam toda uma vida. Decisões que mudam o destino das pessoas. Perdão quando o ressentimento era tão denso quanto um muro. Alívio quando a dor parecia ser insuperável. Milagres estão por todos os cantos. Podem ser operados por pessoas comuns como qualquer um de nós. Podem vir na forma de um cachorro que traz o significado de volta à vida de alguém, ou de um sorvete que elimina a falta de apetite por alguns minutos. Milagres são a expressão da nossa infinita capacidade de curar a nós mesmos, em qualquer esfera que imaginemos. E, claro, podem vir na forma de Nossa Senhora de Medjugorje, a Rainha da Paz. Que assim seja.

O vagalume
Lucas Cantadori

Muitas pessoas me perguntam o que faço para conseguir suportar o peso emocional de cuidar de pacientes oncológicos. Algumas respondem à própria questão aventando as mais diversas hipóteses: "Ah, mas é claro que você deve se acostumar, certo?"; "Depois de ver tantos casos, isso nem o afeta mais"; "O importante é não se envolver e, assim, não levar essa carga emocional para casa".

Ledo engano, que justifico com três motivos principais. Primeiro, cada paciente – pessoa – é único em sua história, seus dramas e amores, seus planos e seu ora sólido – mas agora tão frágil – futuro. Segundo, o diagnóstico de câncer é sempre trágico, o turbulento início de uma jornada transformadora que será permeada por inúmeros momentos difíceis. Terceiro, grande parte do sucesso do tratamento depende do adequado vínculo médico-paciente, o que demanda envolvimento e comprometimento sinceros do profissional.

Com o perdão de um possível neologismo, não há como se acostumar com o inacostumável. Porém, o inacostumável está longe de ser insuportável. Trabalhar com câncer é um ofício sagrado: quanto mais experientes ficamos, mais humildes nos tornamos. Tangenciar os limites da existência faz que a vida fique ainda mais sagrada.

No livro *Antes de partir: uma vida transformada pelo convívio com pessoas diante da morte*, a enfermeira australiana Brownie Ware analisa os cinco maiores arrependimentos demonstrados por pacientes em fase de fim de vida. Um deles acaba por resumir todos os outros: "Eu gostaria de ter me permitido ser mais feliz".

Felicidade é algo transmutável a depender de cada indivíduo, porém sua existência deriva de uma constante: o tempo. A maioria das

(O médico e o rio)

pessoas que enfrentam a morte deseja ter tido mais tempo com a família, amigos e com atividades que lhes davam prazer. Uma das frases que ouço com mais frequência é: "Eu perdi tanto tempo!"

Perder tempo é perder vida. Acostumamo-nos a viver de acordo com padrões determinados que muitas vezes não condizem com aquilo que realmente almejamos. E a pegadinha está justamente aí: afinal, o que queremos? Quase todos desejamos sucesso profissional, reconhecimento e segurança para a família. Sabemos que para isso será necessário trabalho duro e incansavelmente. E, assim, nos trancamos numa espiral da qual fica mais e mais difícil sair. Passamos a buscar nosso propósito, sonhamos em protagonizar algo memorável.

Agora já não nos basta sermos bons, precisamos ser os melhores, para – enfim – deixarmos nossa marca na história. Vamos trabalhar até tarde hoje para colher os frutos amanhã, ou depois de amanhã, ou depois. E assim nos descompassamos com o tempo; ficamos alheios enquanto a vida vai fluindo num ritmo próprio e inexorável.

É claro que o trabalho e as demais tradições estabelecidas são fundamentais para nossa sobrevivência individual e em sociedade. As sensações de desígnio, meta, significado são os principais motores que impulsionam nossa evolução. O que aprendi na minha profissão (que tanto amo, aliás) é que é possível alcançar um balanço. É possível encontrar o ritmo do tempo e correr ao seu lado.

A maioria de nós, quando morrer, existirá apenas na memória de nossos filhos, netos, talvez bisnetos. Portanto, como queremos ser lembrados? Aprendi a me contentar com os bens materiais que tenho e a reduzir minhas ambições profissionais, sem perder a excelência que busco naquilo que faço. É possível e incrivelmente simples. A alegria proveniente da simplicidade da vida dança à nossa frente, e infelizmente nos condicionamos a ignorá-la.

Uma das minhas passagens preferidas da história do Peter Pan é o momento de desespero do Capitão Gancho ao ouvir o tique-taque do crocodilo que o perseguia. É uma bela alegoria, porém não totalmente correta, visto que não somos presas incontestes do tempo. Podemos tentar fugir e incorrer no imutável desfecho de por ele ser engolidos; porém, ainda nos cabe a decisão de caminhar ao seu lado e aceitar o aproximar do horizonte.

Minha esposa sempre diz que, a cada par de sapatos apertados que são guardados no armário da nossa filha pequena, pesa-lhe o tempo sobre as costas. Foi logo após um passeio de bicicleta que o tamanho 17 se mostrou obsoleto. A palmilha 19 veio aposentar a 18 em uma semana fria. E, enquanto o modelo cresce, os passos evoluem mais seguros e a língua começa a acertar palavras que antes saíam adoravelmente erradas; todas devidamente arquivadas na minha memória. Por mais que a inexorabilidade do tempo seja desoladora, não há preço que valha a lembrança desses momentos.

O gigante Machado de Assis também escreveu alguns poemas. O meu preferido – de longe – se chama "Círculo vicioso". Toda vez que o leio e releio, agradeço a Deus por ter a serenidade não apenas de reconhecer que sou um simples vagalume, mas também de sentir sinceramente que isso me basta e me alegra.

Bailando no ar, gemia inquieto vagalume:
"Quem me dera que fosse aquela loura estrela
Que arde no eterno azul, como uma eterna vela!"
Mas a estrela, fitando a lua, com ciúme:

"Pudesse eu copiar o transparente lume,
Que, da grega coluna à gótica janela,
Contemplou, suspirosa, a fronte amada e bela!"
Mas a lua, fitando o sol, com azedume:

"Mísera! Tivesse eu aquela enorme, aquela
Claridade imortal, que toda luz resume!
Mas o sol, inclinando a rútila capela:

─(O médico e o rio)─

"Pesa-me esta brilhante auréola de nume...
Enfara-me esta azul e desmedida umbela...
Por que não nasci eu um simples vagalume?"*

---

* In: *Poesias completas*. Rio de Janeiro: Garnier, 1901.

Onde é que dói?

"**Médico tem** de pôr a mão onde dói." Foi a resposta rápida e constrangedora da docente quando eu a informei que não tinha examinado o baço da paciente porque ela estava com muita dor. Ela, coberta de razão. Meu papel era justamente fazer o diagnóstico para tratar a causa da dor, e como diagnosticar sem examinar? Eu, morta de vergonha. O constrangimento serviu para que eu nunca mais deixasse de colocar a mão onde estava doendo. E também serviu para que eu aprendesse a não justificar minhas falhas com desculpas descabidas. Médico tem, é óbvio, de pôr a mão onde dói.

A frase não saiu mais da minha cabeça, e pensei nela quando olhei para Marta, sentada à minha frente. Marta tinha perto de 30 anos e um diagnóstico de câncer de mama metastático para a coluna. A queixa, como esperado, era dor nas costas. Mas ela falava da dor como algo inimaginável, muito mais intensa e sofrida do que a maioria das pacientes na mesma situação. Examinei, vi suas tomografias, chequei os tratamentos realizados e as medicações que ela vinha usando para a dor e, apesar de estar tudo conforme os protocolos de rotina, nada tinha adiantado. A dor lhe era insuportável.

Durante a internação continuei a seguir os tratamentos que eram padrão para o seu caso, e a cada dia ouvia a mesma resposta: "Não melhorou NADA, doutora". Era angustiante. Discuti o caso da Marta com a equipe multiprofissional e decidimos então abordá-la por pontos de vista diferentes. Ela foi vista pela psicóloga, pela assistente social e pela fisioterapeuta. Já na reunião seguinte, a psicóloga nos contou a história secreta de Marta. Ela era homossexual e vivia com Renata havia três anos, sem o conhecimento da mãe.

(O médico e o rio)

Agora que estava doente, a mãe tinha se mudado para sua casa para cuidar dela, e isso tinha provocado uma revolução no relacionamento que ela tinha com a companheira, que não podia mais permanecer lá o tempo todo – e, mesmo quando ficava com ela, precisava assumir o papel de simples amiga. A mãe não permitia que Renata participasse dos cuidados, e mostrava-se até ríspida com ela. Mais de uma vez a mãe manifestara um grande desagrado a respeito de homossexuais, e Marta tinha pavor de que ela ficasse sabendo. Um pavor tão grande quanto o que sentia de ficar separada da companheira. E que doía muito, tanto que remédio nenhum resolvia. A dor de Marta era na alma.

Ouvindo a história, um pensamento me veio à mente: como o médico faz quando a dor é na alma? Como se colocam as mãos num ponto tão profundo de uma pessoa? Como se examinam as profundezas do coração? Em cuidados paliativos trabalhamos com um conceito a que chamamos de "sintomas totais". Sua base considera que todos os sintomas humanos têm múltiplos componentes, como físico, emocional, espiritual, social. Uma pancada súbita na cabeça provavelmente será composta quase que totalmente de uma sensação física, enquanto a dor causada por um câncer avançado, com meses de evolução, provavelmente terá um componente emocional muito significativo. Em alguns casos, o componente emocional é quase exclusivo. Como no caso da Marta. A dor dela melhorou como que por encanto depois de uma abordagem multiprofissional organizada, na qual conseguimos conversar com a mãe, e ela aceitou de coração aberto o relacionamento da filha. As três passaram a morar juntas até o falecimento dela, meses depois. Marta mal precisou de analgésicos até lá.

Ignorar os componentes não físicos dos sintomas é o mesmo que ignorar nossa complexidade. Oferecer morfina para uma dor que tem forte componente emocional equivale a tentar matar a fome de alguém lhe dando parafusos para comer. Os médicos não são capacitados para tratar as angústias e emoções profundas dos seus pacientes. Tampouco sabem como abordar dilemas espirituais ou existenciais. Mas o psicólogo sabe. O padre, o rabino e o pastor, também. E os psicoterapeutas, e outros profissionais. Mas cabe ao médico identificar a necessidade de ajuda para controlar melhor os sintomas de seu paciente. Cabe a ele entender onde está o seu limite. É assim, simples assim, que o médico coloca as mãos na alma dolorida de alguém.

Eutanásia, por favor

Teresa estava cansada. Desde o diagnóstico, dois anos antes, de um câncer de mama com metástases ósseas, sua vida tinha se resumido a idas e vindas do hospital, dezenas de medicamentos e muita dor. A dor a tinha levado novamente ao hospital naquele dia, e foi quando a conheci. Eu era residente ainda, e mal sabia oncologia, quanto mais lidar com a dor e o sofrimento intensos. Ela me contou, sem olhar para mim, que não dormia havia dias por causa da dor lancinante que tinha tomado conta de quase todo o seu corpo. Não conseguia comer, não tomava banho sozinha – na verdade, mal se movimentava na cama. Não conseguia mais falar com os filhos e não tinha ideia de como andava a rotina da sua casa. Ela falou por poucos minutos, os quais me pareceram horas, tamanho era o sofrimento em suas palavras.

Ao final da sua história, comentei que pediria uma medicação para tirar a dor e já voltaria. Foi quando ela me olhou nos olhos pela primeira vez e disse: "Eu quero morrer. Você não pode me dar um remédio para acabar de vez com isso?" Não tenho como descrever a minha consternação. O sentimento de impotência, a enorme compaixão por ela, o horror de presenciar tamanho sofrimento inundaram cada parte de mim. E, não posso negar, tive mesmo vontade de cumprir o desejo dela. A vida que Teresa levava era inimaginável. Na época, eu não tinha noção de cuidados paliativos, e meu conceito de eutanásia era teórico e superficial. Nunca ninguém tinha me pedido ajuda para morrer, e foi realmente assustador. Teresa foi internada e eu soube que faleceu algumas semanas depois, possivelmente em grande sofrimento. Mas seu pedido transformou meu coração.

·····(Ana Coradazzi e Lucas Cantadori)·····

A eutanásia é a atuação de um profissional da saúde que provoca deliberadamente a morte de um paciente com enfermidade incurável a partir de seu pedido expresso e consciente, quando ele julga que seu sofrimento é intolerável e impossível de aliviar. Os sentimentos que envolvem um procedimento como esse são profundos e dolorosos, e eu realmente compreendo a motivação de pessoas que o tenham praticado. A dor insuportável e a falta de perspectiva que vi nos olhos de Teresa foram mais que suficientes para isso. Também compreendo por que um tema como a eutanásia provoca reações e posicionamentos tão radicais e apaixonados. Afinal, estamos falando de determinar o fim da vida de alguém, seja por qual for o motivo, e isso mobiliza as crenças mais viscerais de cada um. Mas a verdade é que a minha opinião, ou a sua, ou a de qualquer outra pessoa pouco importam para um paciente desesperado. Pouco importa, também, se eutanásia é crime ou não, se é certo ou errado, ou de que forma pode ser feita. Do modo como vejo hoje, o que faz diferença numa situação como essa não é a conduta perante a situação, e sim as ações que deveriam ter sido tomadas antes que o sofrimento chegasse aonde chegou, no ponto em que o paciente prefere morrer a passar por aquilo. Nossa energia deveria ser gasta preventivamente.

Algum tempo depois, durante a especialização em Cuidados Paliativos, ouvi a história de Alícia, que era muito parecida com a de Teresa. Alícia também chegara ao serviço de emergência em grande sofrimento e implorando por uma morte caridosa. Uma enfermeira da equipe de paliativos a abordou e depois ela foi medicada; criou-se toda uma estratégia de prevenção de novos episódios de dor e um bom suporte social foi proporcionado. Poucos dias depois, Alícia não desejava mais morrer. Ela queria ir para casa passar mais tempo com os filhos. A história de Alícia me fez pensar na eutanásia não como um procedimento possível, mas como uma situação potencialmente evitável. Nós, médicos e profissionais da saúde que lidamos com pacientes graves, devemos estabelecer como missão primordial impedir que um paciente passe por um sofrimento tão insuportável que prefira abandonar sua vida, sua família, sua dignidade. Isso se faz por meio de um esforço contínuo e consciente para compreender as expectativas de cada paciente, de tal forma que possamos antecipar que sintomas lhe causariam pânico e desespero e tratá-los precocemente. É necessário também conhecer profundamente as doenças que os castigam, a fim de prever as complicações que podem acontecer e preveni-las (ou pelo menos preparar o paciente para lidar com elas).

Teresa não teve a sorte de ser abordada dessa forma preventiva, e hoje estou certa de que seu sofrimento foi desnecessário. Meu coração dói quando penso que poderia ter sido diferente, mas não posso mudar a história de Teresa. Os desfechos que ainda posso mudar são os das histórias das Marias, dos Pedros, das Aparecidas ou dos Antônios que passarem pelas minhas mãos. E cada profissional da saúde pode fazer isso também. O caminho é o mesmo de todos os grandes benefícios alcançados até hoje na medicina: capacitação técnica, dedicação e respeito. Isso permite que o intolerável se torne apenas desconfortável, e que o desespero se transforme em confiança. E a motivação para todo esse esforço pode ser bastante simples: nunca mais ter de ouvir um pedido de eutanásia.

Além dos olhos

Eu poderia dizer que perdi um paciente e um amigo ontem. Mas ganhei tanto (tanto) com ele que prefiro dizer que Deus apenas nos separou por um tempo. O Flávio tinha quase 70 anos, mas não era uma pessoa grande demais. Explico. Vejam bem, minha esposa está grávida e todas as noites antes de dormir eu leio para minha filha. Comecei com *O Pequeno Príncipe*, e relendo esse livro imediatamente me lembrei do Flávio, pois sei que ele via além dos seus olhos. Há alguns anos recebeu o diagnóstico de uma neoplasia maligna. Mesmo passando por vários tratamentos e procedimentos, ele raramente mencionava a doença nas consultas. Excelente músico, com a sensibilidade de um grande artista, sempre fazia questão de saber como eu estava, como andava minha vida. E, quando eu insistia em perguntar como ele se sentia, a resposta era padrão: "Tudo ótimo!"

Flávio passou pelas sessões iniciais da quimioterapia e obteve excelente resultado, prosseguindo então para consolidação com um transplante de medula óssea, após o qual atingiu a remissão da doença. Assim permaneceu por algum tempo. Quando soube que estávamos iniciando nosso próprio serviço de transplante de medula óssea, fez questão de ajudar: nos presenteou com uma belíssima TV para colocar na sala de espera. Foi nosso primeiro doador e nosso maior incentivador.

Infelizmente, a doença retornou e os tratamentos recomeçaram. Ele vinha sempre acompanhado por sua fantástica esposa (uma fortaleza!). Às vezes, ela me puxava de canto para dizer que as dores haviam piorado.

— Seu Flávio, como estão as coisas?

— Tudo ótimo! Uma maravilha!
— Um passarinho me contou que as dores aumentaram, não é verdade?
— Ah, sim, dói um pouco.

Prosseguimos com o tratamento, mas a doença resistiu. Tentamos outro, sem resultado. Alguns meses depois, já com as forças esgotadas e intensas dores, optamos por interná-lo para cuidados paliativos exclusivos.

Lembro-me da minha última visita ao seu leito, onde ele repousava com analgésicos potentes em infusão contínua. Bastante confuso, Fábio já não mais conseguia reconhecer as pessoas nem raciocinar com clareza. Mas o que testemunhei ali foi inédito. Quando alguém entrava no quarto, ele abria um sorriso e dizia: "Olha quem chegou!" Quando lhe arrumavam o travesseiro ou mudavam sua posição no leito, mesmo gemendo de dor, comentava: "Obrigado, muito obrigado". Quando lhe davam comida – comida de hospital –, a frase era: "Mas que delícia!" E, quando tocavam música (ah, como ele adorava): "Que maravilha!"

Voltei para casa refletindo sobre essa experiência, mas não demorei muito para notar que tudo fazia sentido. Ele percebia o mundo com o coração, por isso o enxergava com tanta clareza. Afinal, "o essencial é invisível aos olhos".

Hoje fui ao funeral de Flávio. Talvez ele tenha me visto lá; talvez tenha até achado graça. Antes que eu fosse embora, seu filho me puxou pelo braço, pois tinha um aviso pra me dar: "Não deixe de nos avisar sempre que o hospital precisar de alguma coisa!"

É, meu querido amigo. Você plantou sementes neste mundo. E as sementes são assim, "elas dormem nas entranhas da terra até que alguma cisme em despertar".

Cheguei em casa e chorei, confesso. Criamos laços. A gente corre o risco de chorar um pouco quando se deixou cativar. "E nenhuma pessoa grande jamais entenderá que isso possa ter tanta importância!" Ainda nos veremos.

Gentileza gera... chocolate

O ambulatório estava bem cheio naquele dia. Não havia mais cadeiras vagas e algumas macas com pacientes tornavam o corredor intransitável. Quando isso acontece, percebemos que a ansiedade e a impaciência dos pacientes e familiares sempre aumentam, assim como as chances de ouvirmos reclamações e desabafos, tanto dentro do consultório quanto no próprio corredor. Paradoxalmente, quanto maior o tempo de espera pela consulta médica, maior o tempo necessário para a própria consulta, pois o estresse experimentado enquanto o paciente aguardava sua vez aumenta sua percepção das próprias queixas e exige mais tempo do médico para resolvê-las. Ou seja, é um cenário propício para o caos.

Dona Chica estava sentada bem em frente à porta do consultório. Usava meias de lã enroscadas nos chinelos de dedo e uma saia cobrindo os joelhos, e mantinha sua inseparável sacola marrom no colo. Cada vez que eu abria a porta para chamar o próximo paciente, ela sorria, deixando à mostra a falta dos dois dentes da frente. Ao lado dela estava sentada uma moça visivelmente nervosa. Era a primeira vez que trazia o pai ao nosso ambulatório, não conhecia ninguém por ali. O pai, numa das macas, dormia tranquilo, sem saber o que acontecia ao seu redor. Após algum tempo de espera, a moça começou a comentar sobre a demora, em tom irritado. Eu ouvia, de dentro do consultório, as palavras indignadas dela, inconformada com a longa espera. Normalmente as famílias que começam a ficar ansiosas não conseguem reverter a irritação, ao contrário: o desconforto só aumenta e a consulta acaba sendo desgastante e difícil. Eu já vinha até me preparando para isso desde que comecei a ouvir as reclamações no corredor. Abri a porta para chamar a próxima paciente, que era a dona Chica. Ao ouvir seu nome, ela se voltou para a moça ao seu lado e disse, com seu sorriso desdentado: "Pode ir na minha frente, moça. O seu pai está mais precisado do que eu". A moça ficou sem graça, tentou recusar, mas o sorriso da dona Chica não permitiu a recusa. Atendi ao pai dela, numa consulta tranquila, que terminou com a moça visivelmente aliviada. A gentileza da dona Chica tinha feito sua mágica.

Algum tempo depois, foi a vez da consulta da própria dona Chica. Aproveitei para agradecê-la e elogiar a ação dela, que tinha transformado a atitude daquela moça e tornado sua vida menos difícil, mesmo que por apenas alguns instantes. Um novo sorriso e os olhos envergonhados, essas foram as respostas dela. Ao sair, uma funcionária veio entregar uns bombons para a dona Chica, dizendo que a moça nervosa tinha deixado para ela. E o sorriso dela ficou ainda maior que o de costume, invadindo seus olhinhos e, certamente, seu coração (dona Chica era alucinada por chocolate!).

Fiquei pensando no poder da atitude da dona Chica naquele dia. Com um ato simples que não lhe custou mais que alguns minutos, ela foi capaz de transformar o estado de espírito de uma pessoa, facilitando assim tanto a vida da moça quanto a minha. Com uma pequena gentileza, desarmou a irritação, o medo, a ansiedade e o desespero. Ela influenciou não somente a moça que recebeu seu ato, mas todos os que estavam na sala de espera, que assistiram à cena e sentiram o coração acalentado. Dona Chica mostrou, da forma mais clara e indiscutível que existe, por que vale a pena acreditar nos seres humanos. Gentileza é artigo raro neste mundo, mas que ainda pode ser encontrado e aprendido. Em alguns lugares e situações, é tão incomum que é interpretada quase como um pequeno milagre, mas seu impacto não tem nada de milagroso. Observar alguém sendo gentil simplesmente extrai o que temos de melhor dentro de nós. Um ato de gentileza é assim tão poderoso porque sempre gera mais gentileza. Às vezes, gera até chocolate.

O jeito mais fácil de viver

Dona Maria de Lourdes é minha paciente há cerca de 12 meses. Já na faixa dos 70 anos, ela mantém o mesmo olhar que vejo em minha filha, de apenas 6, quando está prestes a aprontar alguma estripulia. Na verdade, dona Lourdes também lembra muito a minha filha em sua pequenez: ela tem pouco mais que 1,40 m de altura! Quando chegou, com o diagnóstico de câncer de intestino com metástases no fígado, escondendo sua apreensão atrás de um meio-sorriso, achei que teríamos uma batalha árdua pela frente. A quimioterapia, nesses casos, não é fácil, e os idosos muitas vezes não conseguem suportar o tratamento convencional. Para ajudar, dona Lourdes vinha com o pacote completo: hipertensa, diabética, com arritmia cardíaca, entre outras. A lista de remédios diários era longa... e minha preocupação em tratá-la também.

Mas os meses foram passando, as sessões de quimioterapia foram sendo superadas, e em poucos meses tínhamos boas notícias para compartilhar: o tamanho dos nódulos no fígado tinha diminuído em mais de 70%. A cada consulta, dona Lourdes trazia um bombom, acompanhado de um sorriso. E em seguida contava a traquinagem da vez, acompanhada do olhar inconformado da filha mais velha. "Subi na goiabeira e levei um tombo esta semana, mas não foi nada, só ficou roxo." "Fui nadar com o meu neto e me esqueci de passar protetor, mas só descascou um pouquinho, até a metade das costas." "Exagerei um pouquinho na feijoada no sábado passado, acabei indo tomar soro no hospital, mas já estou boa." E por aí ela ia. A filha me pedia, já desacorçoada, para proibir a mãe de fazer essas loucuras, pois ela deixava a família inteira preocupada, e uma hora aconteceria

(O médico e o rio)

um acidente sério. Dona Lourdes lançava o seu olharzinho travesso (aquele, de 6 anos de idade), dava de ombros e sorria. E o bombom, claro, era mal-intencionado: eu não podia dar bronca depois de ganhar chocolate.

O ano todo foi assim. Quimioterapia após quimioterapia, tomografia após tomografia, travessura após travessura, bombom atrás de bombom. Até que certa vez ela compareceu à consulta sozinha. Quando perguntei pela filha, ela me confidenciou: "Sabe, doutora, hoje eu vim escondida dela". Fiquei surpresa com a confissão, e ao ver meus olhos arregalados dona Lourdes se apressou em explicar: "Sabe, doutora, eu amo muito a minha filha, ela é minha vida, mas ela não sabe viver, não. Às vezes, eu acho que ela pensa que eu vou morrer mais cedo se fizer o que me dá vontade. Ela acha que eu não sei que eu vou morrer dessa doença, e que por causa disso fico assim, feliz. Fica tentando me proteger de mim mesma, não quer que eu exagere, quer que eu seja sensata para, quem sabe, eu durar mais tempo. Mas ela não entende que a nossa vida vai esticando cada vez que a gente faz uma coisa de que gosta. Quanto mais eu me faço feliz, mais valiosa é a minha vida, e mais longa ela parece. Esse é o jeito mais fácil de viver pra sempre, entendeu?"

Fiquei olhando para aquela criatura minúscula, pensando em como cabia tanta lucidez e coragem ali dentro. As palavras dela ficaram ecoando na minha cabeça – e no meu coração – por um longo tempo. Lembrei-me delas quando cheguei em casa para almoçar e tinha carne moída com batata – que eu AMO –, e fiquei feliz. Também me lembrei delas quando as minhas filhas pularam de trás da porta para me assustar, e fiquei superfeliz. E quando comi chocolate, no meio da tarde, e quando fui ao banco de chinelos, e quando achei um bilhete brincalhão da minha sócia. E, ao ficar reparando, durante um dia inteiro, nas pequenas felicidades que passaram pela minha vida, senti que o dia tinha durado mais tempo. A minha vida tinha se expandido, de dentro para fora. Do jeito mais fácil que há.

Os três lados da moeda

Quando converso com colegas envolvidos com cuidados paliativos, em qualquer área, ouço a mesma queixa na quase totalidade dos casos: os pacientes são encaminhados para nós tardiamente (às vezes poucas horas antes do óbito), e com informações confusas sobre sua doença e seu prognóstico. Muitos revelam grande expectativa de cura e de recuperação de sua vida antiga. Os relatos dos colegas são quase sempre permeados por uma mistura de decepção, cansaço e até irritação. Conversas pouco realistas ocorridas com os colegas que assistiram o paciente desde o início passam a ter seus efeitos maléficos no momento em que as coisas começam a ir mal, e é nesse ponto delicado que muitos médicos entendem que o paliativista tem seu papel. Os paliativistas estão com a agenda cheia de pacientes que, mesmo com um câncer avançado e após uma infinidade de linhas de tratamento que não funcionaram, chegam com a angustiante pergunta: "E agora, doutor? Como nós vamos fazer para me livrar dessa doença? Meu médico disse que agora é com o senhor". Desfazer os mal-entendidos e reajustar as expectativas do paciente à sua realidade é um trabalho árduo, complexo e cansativo, ao qual infelizmente médicos paliativistas precisaram se habituar. A verdade é que seria muito mais eficaz e produtivo se médicos e pacientes conseguissem estabelecer uma comunicação eficaz e sincera desde o início da doença, e se a abordagem por uma equipe de cuidados paliativos fosse realizada precocemente. Isso ficou ainda mais claro para mim quando conheci Maria Clara.

Eu a atendi pela primeira vez numa sexta-feira à tarde, como um "encaixe", a pedido de um colega cirurgião, que a tinha atendido

(*O médico e o rio*)

naquela manhã. Ela tinha apenas 35 anos, dois filhos pequenos e um câncer gástrico avançado, já com comprometimento do peritôneo – portanto, incurável. Ao ler o encaminhamento do colega, ficou evidente para mim a angústia dele para que eu a visse no mesmo dia. Respirei bem fundo antes de chamá-la e me preparei para momentos difíceis. Imaginei como seria receber a notícia de uma doença incurável tendo duas crianças em casa (como eu mesma tenho), e pensei em algumas frases que eu poderia utilizar. Tinha certeza de que as más notícias sairiam da minha boca em primeira mão. Em geral, os cirurgiões têm ainda mais dificuldade que os clínicos para explicar o mau prognóstico de uma doença grave. Mas Maria Clara me fez repensar meus paradigmas. Entrou no consultório acompanhada do marido e, embora os dois estivessem tranquilos, os olhos avermelhados denunciavam o choro recente. Perguntei o que tinha acontecido para que eles estivessem ali, e o relato dela foi impressionante.

Maria Clara me contou com detalhes o início dos seus sintomas, alguns meses antes, e como uma endoscopia tinha mostrado uma "úlcera" em seu estômago. Disse que o endoscopista tinha orientado que procurasse o colega cirurgião "mais por precaução", e que ela acabou marcando a consulta com ele sem nem imaginar que seu diagnóstico era bem mais sério. Descreveu como a consulta, naquela manhã, mudara sua vida. Falou da forma delicada e clara como o colega cirurgião explicara que ela tinha câncer e que infelizmente não seria possível operá-la, porque a doença já tinha se espalhado por dentro do abdome. Falou sobre o longo tempo em que ficou com ele, e de como ele segurou suas mãos quando ela começou a chorar. Repetiu as palavras dele sobre como ela poderia lidar com isso dali para a frente, dizendo que a única coisa que mudaria era o fato de ela ter mais consciência da possibilidade de morrer do que antes, mas que na verdade todos nós deveríamos ter essa consciência, pois a chance de morrermos em breve não tem nada que ver com estarmos ou não doentes. Ele sugeriu que ela conversasse abertamente com o marido sobre a possibilidade de sua ausência, sobre como ela gostaria que os filhos fossem criados e como a situação financeira deles poderia ser conduzida depois que ela se fosse. E demonstrou uma empatia surpreendente, dizendo que ele próprio já tinha tido esse tipo de conversa com a esposa, pois também tinha filhos pequenos e tinha plena consciência de que nenhum de nós tem o poder de adivinhar quando será nosso fim.

As palavras dela, descrevendo a forma como tinha recebido a pior notícia de sua vida, foram para mim como uma bela música. Sua serenidade, apesar da clareza que tinha sobre sua situação grave, era comovente. É claro que, em parte, isso se devia à própria personalidade dela, uma mulher forte e corajosa. Mas a sensação de ter sido acolhida e de ter tido sua dignidade preservada pelo colega certamente foi a principal responsável por sua reação. Quando Maria Clara me perguntou quando começaríamos a quimioterapia, não havia nela nenhum sinal de expectativa irreal. Ela deixava claro que compreendia que o tratamento tinha o objetivo de preservar sua qualidade de vida e sua autonomia pelo maior tempo possível, e se sentia grata por ter tempo de organizar sua vida – e a de seus filhos – antes de partir. Assim que ela saiu do consultório, uma lágrima desceu pelo meu rosto.

Pouco mais tarde, encontrei o colega cirurgião, que imediatamente me perguntou se eu conseguira atender Maria Clara. Ouvi então a versão dele sobre a consulta e a descrição emocionada de como o caso dela tinha abalado seu dia, deixando-o emocionalmente exausto. Ele falou sobre a angústia de destruir as expectativas e planos de uma mãe tão jovem, e confessou o enorme esforço que teve de fazer para resistir à vontade de dizer algo como: "Fique tranquila, você nem vai precisar de cirurgia! Só com quimioterapia já vai ser suficiente". Isso o livraria do incômodo papel de portador de uma bomba na vida dela, mas elevaria as expectativas da paciente a um nível difícil de controlar depois. Disse que Maria Clara o tinha feito repensar mais uma vez sua vida, sua relação com a esposa e os filhos, as prioridades que vinha adotando. Aproveitei para dizer a ele que seu esforço valera a pena. Imagino quanto lhe custou falar sobre coisas com as quais um cirurgião não costuma lidar. Acostumada que estou a acessar sempre apenas duas versões (a minha e a do paciente), essa foi uma das raras ocasiões em que enxerguei o terceiro lado da moeda. Pude ver o sofrimento por trás da tarefa de dar uma notícia terrível a alguém em primeira mão, coisa incomum para nós, oncologistas (em geral, os pacientes chegam pelo menos conhecendo seu diagnóstico). Mas também entendi como uma comunicação eficaz, realizada de forma adequada e delicada, pode impactar positivamente a vida de um paciente. E transformar a vida de um médico para sempre.

"Acho que ele pensou que eu já tinha morrido"

Quando conheci dona Laura, ela já estava vivendo seus últimos dias. Tinha quase 60 anos e vinha lutando contra um câncer de pâncreas havia cerca de 18 meses. Nesse período, o tratamento foi difícil, com cirurgias e quimioterapia, sempre com a orientação do seu oncologista. Mas agora as coisas não estavam indo bem, e ela fora internada aos cuidados de um cirurgião, com uma complicação infecciosa no dreno que mantinha no abdome. O tratamento com antibióticos promoveu alguma melhora, mas o estado geral de dona Laura vinha se agravando, e a complicação atual tinha roubado todo o seu estoque final de energia. Ela estava morrendo, e o cirurgião não tinha muito o que fazer. Pediu auxílio ao oncologista que a acompanhava, mas diante da impossibilidade de novos esquemas de quimioterapia ele orientou que a equipe de cuidados paliativos fosse chamada. Foi assim que entrei na história.

Dona Laura estava magérrima. A fadiga era tanta que ela precisava de ajuda até mesmo para se alimentar. Embora não sentisse dor e estivesse confortável, a situação de dependência total a incomodava muito. Ajustamos algumas medicações e pedimos auxílio da psicóloga para que ela se sentisse mais acolhida. Os dias foram se passando lentamente, e minha relação com ela se tornou cada vez mais estreita. Ela me falava do neto, das coisas que gostava de fazer quando estava bem (tinha o famoso "dedo verde", que faz qualquer planta florescer!), e se emocionava ao lembrar-se do marido, falecido um ano antes. Falava bem baixinho, quase um sussurro, mas com uma lucidez surpreendente.

Um dia, durante a minha visita, o oncologista que a acompanhara desde o início da doença passou reto pela porta do quarto. Dona

─(*O médico e o rio*)─

Laura viu e deu um suspiro. Parecia magoada. Não perguntei o motivo, mas ela acabou explicando mesmo assim. Disse que, no começo da internação, estranhou o fato de seu médico de confiança não ir vê-la, mas atribuiu o fato ao horário apertado dele. Conforme os dias se passaram, no entanto, essa justificativa foi ficando um tanto esdrúxula, pois ninguém é tão ocupado a ponto de não conseguir dois minutos para visitar um paciente de longa data. Ela começou então a imaginar se seu médico achava que ela tinha morrido. Alimentou essa ideia durante alguns dias, mas esta se desfez quando a filha lhe contou que encontrara o médico na cantina e que, claro, ele sabia que ela continuava internada.

Dona Laura começou a reparar quando ele entrava ou saía do setor, sempre passando apressadamente pela porta do seu quarto – sobretudo quando esta estava aberta. Reparou que ele passava sempre com a cabeça baixa, olhando para o chão, com uma pressa desconfortável. Depois de um tempo, concluiu que ele não queria vê-la mesmo, e esse era o motivo da mágoa em seus olhos.

Tentei justificar, dizendo que às vezes é difícil para nós, médicos, lidar com o sofrimento de pacientes que estão se despedindo. Expliquei quanto os médicos podem se angustiar com essa situação, e que talvez a atitude do médico tivesse muito mais que ver com uma incapacidade pessoal dele do que com a relação entre ambos. Foi aí que ela sorriu de leve e disse, ainda magoada: "Eu entendo que é difícil lidar com a dor dos outros, doutora. Mas esperava que um médico que resolveu cuidar de pacientes com câncer se preparasse para isso. Nós contamos com vocês em todos os momentos, não só quando tudo vai bem. É como casamento: na alegria e na tristeza. Se for para pedir o divórcio no momento mais difícil, o certo seria avisar logo no começo, para não criarmos expectativas".

Meu coração se apertou dentro do peito. Dona Laura estava certa. Nós, médicos, não temos esse treinamento. Quando muito, alguém na faculdade nos dá alguma palestra sobre como lidar com a morte, e é só. Mesmo durante a residência médica de Oncologia

– que supostamente deveria preparar os futuros profissionais para lidar com o sofrimento e as perdas inerentes à doença – o contato com esse tipo de informação é mínimo. Há programas de residência em Oncologia nos quais a disciplina de cuidados paliativos é apenas opcional. Em outros, ela nem sequer existe.

É compreensível a fuga diante disso tudo. Não é fácil, não mesmo. Mas as palavras dela e a decepção em seu olhar deixaram claro que a fuga causa mais sofrimento do que ouvir más notícias. Pacientes terminais não temem ouvir que morrerão em breve, ou que não há mais tratamentos disponíveis. Eles temem o abandono. Temem acordar um dia e não ter ninguém em quem confiar. Temem não ter feito diferença na vida de alguém, não ser especiais no mundo – inclusive na vida de seus médicos. Às vezes, não é preciso muito. Basta chamá-los pelo apelido, ou citar o nome do netinho, ou se lembrar de uma história engraçada contada no consultório, quando as coisas não estavam tão ruins. Atitudes assim são suficientes para que eles saibam que foram dignos da nossa atenção, e que de alguma forma deixaram sua marca em nossa vida.

"Quase sempre, estar perto basta. Perto do fim da vida, a ausência dói mais que a doença."

Doutora, você nem imagina...

Ela entrou no consultório toda arrumada, com brincos de pérola, batom vermelho-queimado, uma blusa de seda estampada linda, os sapatos combinando, os cabelos cuidadosamente penteados. Tinha 76 anos e mantinha a vaidade das garotas de 18. Logo nos primeiros minutos da consulta, dona Carmem já ganhou a minha simpatia. Começou a contar, espantada, como tinha notado um nódulo no seio esquerdo, durante o banho. Explicou que rapidamente procurou a ginecologista, uma bem pequenininha, como era o nome dela mesmo?
— Doutora Lenira? — sugeri.
— Isso, essa mesma!
E continuou, explicando que a médica pediu um exame da mama, que deu suspeito para um câncer ("Veja você, doutora, um câncer! Na minha idade!"), e que ela tinha então sido encaminhada para um médico muito legal, que falava muito, puxa, qual era o nome dele mesmo?
— Doutor João Ricardo? — ajudou a cuidadora dela, a Laura.
— Isso, doutor João! — ela sorria.
E contou em detalhes sobre como fora a cirurgia, que a pele dela era muito boa, que as enfermeiras do hospital ("aquele hospital bem grande, que é só pra quem tem câncer, em Jaú, sabe, doutora?") eram muito boas, enfim, um relato perfeito da sua saga desde o diagnóstico de um câncer de mama bem inicial.
Quando ela terminou, fiz mais algumas perguntas sobre seus antecedentes, os remédios que tomava, e pedi que ela se sentasse na maca. Quando pedi para examinar a mama, ela arregalou os olhos e disse, espantada:

— Doutora, a senhora nem imagina o que me aconteceu nessa mama... Eu estava tomando banho, olha só, e de repente percebi um caroço no meu seio! Um caroço! Fiquei preocupada e fui bem rápido na minha ginecologista, uma bem pequenininha, não lembro o nome dela, acho que a senhora conhece... — e lá foi dona Carmem contar toda a história de novo, sempre pedindo a confirmação da cuidadora ("Não é mesmo, Laura?").

Até o final da consulta, dona Carmem me contou sua história mais três vezes. Quase com as mesmas palavras. E sempre sob o olhar paciente de Laura. A mesma coisa quando expliquei sobre a necessidade de radioterapia, que tinha de ser feita todos os dias.

— Então agora só volto daqui um ano, doutora? – depois de duas explicações minhas.

– Não, dona Carmem, agora a senhora precisa fazer a radioterapia, lembra? Tem de vir todos os dias ao hospital nas próximas semanas!

— Todos os dias??? Você ouviu isso, Laura? Nossa, como é que vamos fazer isso?

E Laura a acalmava, dizia para ela ficar tranquila, que o motorista traria as duas todos os dias. A paciência da cuidadora era algo bonito de se ver, e admirável. Fiquei imaginando a quantidade de vezes que ela ouvia as mesmas histórias, todos os dias, e dava as mesmas respostas, e assim mantinha dona Carmem tranquila – e feliz.

Laura contou que estava com dona Carmem havia muitos anos, e que a considerava uma mãe. Disse que acompanhou de perto grandes sofrimentos na vida dela, como a perda de uma filha adotiva por quem dona Carmem era apaixonada, e falou sobre como a família daquela senhora desmemoriada era carinhosa com ela.

Pensei nas bênçãos que as demências, às vezes, podem ser na vida das pessoas, pois impedem que elas remoam mágoas. A falta de memória impossibilita nossa maior tortura: esse péssimo hábito de antecipar o sofrimento que nem sabemos se de fato acontecerá. Mas também nos expõe às decisões e aos cuidados dos outros; ficamos absolutamente à sua mercê. Olhando para Laura, entendi que o que

(O médico e o rio)

realmente faz diferença nesses casos são as pessoas que temos em volta de nós, e não a(s) doença(s) que temos de enfrentar. Mais que isso: o que faz diferença é o que plantamos durante toda a vida, pois são nossas atitudes que definem o tipo de gente que teremos por perto. D. Ehlers escreveu, há muito tempo: "Não corra atrás das borboletas; plante uma flor em seu jardim e todas as borboletas virão até ela". Devia estar pensando em alguém como a dona Carmem, que mesmo sem poder cuidar do seu jardim podia contar com as borboletas que ele atraíra.

No finalzinho da consulta, já na porta do consultório, minha admiração pelo relacionamento das duas aumentou ainda mais um pouquinho. Eu disse:

— Até mais, Laura, qualquer coisa me avise!

E ela, baixinho, em segredo:

— Obrigada, doutora! Só uma coisa: meu nome é Ana. Deixo ela me chamar de Laura porque ela acha tão bonito...

Como viver para sempre

Todos os dias nós, médicos, deparamos com pessoas cuja maior preocupação é evitar a morte. Na melhor das hipóteses, alguém se conforma em, pelo menos, prolongar a própria vida. São seres humanos que, diante de doenças graves ou condições de risco, são obrigados a se confrontar com essa incômoda e angustiante verdade universal: a de que todos acabaremos. E não é fácil mesmo.

A vida, por mais complicada que seja, em geral tem saldo positivo. É por meio dela que interagimos com pessoas que nos fazem sentir bem. É vivendo que podemos desfrutar das ondas do mar lambendo nossos pés, do som dos nossos filhos brincando, das palavras carinhosas de um amigo, do gosto do bolo de fubá com goiabada (adoro!). É da vida que extraímos a emoção de assistir a filmes brilhantes, compartilhar atitudes de compaixão, receber demonstrações de amor sincero. A perspectiva de nunca mais poder vivenciar coisas assim nos apavora, e nos faz querer viver para sempre. E viver para sempre, claro, é impossível. Será?

Fernando Pessoa escreveu que o valor das coisas não está no tempo que elas duram, mas na intensidade com que acontecem, e que por isso existem momentos inesquecíveis, coisas inexplicáveis e pessoas incomparáveis. Ouso acrescentar, aqui no final da frase, "vidas intermináveis". Faço isso em nome dos meus vários anos já vividos (cada vez em maior número...), mas principalmente em nome das vivências que compartilho com pessoas únicas, que vivem a desafiadora tarefa de conviver com a perspectiva de morrer, e cujo maior ensinamento são as estratégias para fazer seu tempo valer mais: é assim que minutos viram horas, horas viram dias, dias viram anos, e a vida não termina.

(O médico e o rio)

A percepção do tempo muda de acordo com a forma que escolhemos para vivê-lo. Somos capazes de lembrar de forma vívida e detalhada cada segundo do nosso primeiro beijo, mas mal sabemos dizer qual é a cor do ônibus no qual passamos metade da manhã para chegar ao trabalho. O primeiro beijo, embora tenha durado apenas alguns segundos (com sorte, pouco mais de um minuto), parece ter ocupado horas da nossa vida. Já o ônibus...

É a intensidade que nos faz lembrar das coisas. E a nossa vida, em última análise, é apenas a soma daquilo de que nos lembramos. Minutos que não têm significado não são dignos de ser lembrados. São minutos perdidos. Não é necessário ser um gênio da matemática para fechar esta conta: quanto mais intensos, surpreendentes e sinceros nossos momentos, mais longa nossa memória a respeito deles, e é isso que tornará nossa vida eterna. O que vejo é uma grande preocupação com a quantidade de tempo que ainda temos para viver, e um descaso desconcertante a respeito do que fazer com esse tempo. Uma paciente jovem, que estava vivendo angustiadamente seus últimos meses de vida, costumava me perguntar quanto tempo ela ainda tinha, e fazia isso quase toda semana. Um dia, perguntei a ela: "Carla, se eu garantisse que você ainda tem dois anos pela frente, o que exatamente você faria com esse tempo?" Ela me olhou confusa e, depois de alguns segundos (que provavelmente lhe pareceram horas), respondeu: "Doutora, sabe que eu não sei?"

Uma vida vivida de acordo com nossos valores, permeada de pessoas que nos estimulam a ser melhores, uma vida em que somos capazes de sorver cada minuto com o melhor que ela tem a nos oferecer: essa é uma vida que vale a pena. É um tempo com significado, um tempo valioso, um tempo interminável. É uma vida que nunca acaba. Nem mesmo quando a morte chegar.

O legado

Na época das eleições presidenciais de 2018, ocorreram os momentos mais tensos que já presenciei desde que me entendo por gente – e por brasileira. Assistimos a opiniões fanaticamente divergentes, a cenas assustadoras, a conflitos até há pouco tempo inimagináveis. Vimos cenas de união comoventes e apaixonadas, e fomos da esperança ao caos várias vezes. Uma semana confusa, difícil e histórica. Foi bem no meio disso tudo que dona Maria de Lourdes – ela mesma, que já tinha me emocionado com suas palavras simples havia algum tempo* – veio ao consultório para me surpreender mais uma vez.

Ela chegou com a filha, que estava exaltada com a situação do país e, como todos os brasileiros, completamente envolvida pelos últimos fatos. Começamos a conversar e dona Maria de Lourdes, como é típico dela, mantinha-se num silêncio respeitoso, sorrindo discretamente. Após alguns minutos, olhei para ela e perguntei o que achava de tudo aquilo. Ela sorriu e, depois de um suspiro tranquilo e um pouco nostálgico, respondeu:

— Eu acho, doutora, que se cada governante, cada empresário, cada político, cada brasileiro pudesse ter a experiência real de sentir que vai morrer, nós não precisaríamos passar por nada disso. Quando a gente sente de verdade que é mortal como qualquer outro, que não é mais importante que ninguém, a gente passa a se preocupar com o que vamos deixar quando morrermos. A gente se empenha em deixar boas lembranças para aqueles que amamos, em fazer coisas boas para a cidade em que vivemos e, se possível, para o país em que

---

* Veja o texto "O jeito mais fácil de viver".

nascemos. A gente pensa todo dia se está sendo útil, se está fazendo mal a alguém, se poderíamos fazer alguma coisa a mais. A gente fica preocupado em ser lembrado com carinho, com respeito, com amor. A gente entende que só vai fazer parte das melhores lembranças dos outros se fizermos por merecer. É uma questão de ficar preocupado com o nosso legado, sabe?

Olhei para ela, com ainda mais admiração pela pessoa gigantesca dentro daquele corpinho minúsculo, e pensei comigo que o legado dela, certamente, já tinha superado todas as expectativas.

Quem está longe, quem está perto

Mariana tem apenas 34 anos, e um câncer avançado vem atrapalhando seus planos de forma cruel nos últimos meses. De algum tempo para cá, a condição clínica dela se deteriorou sobremaneira, com perda progressiva da força muscular e, consequentemente, da autonomia. Ela se viu obrigada a aceitar a ajuda da mãe, o que não tem sido nada fácil. A troca de farpas entre elas é constante. Às vezes se inicia com palavras rudes dela própria. Em outras, é a mãe que se coloca como porta-voz, o que irrita Mariana profundamente. Após alguns poucos embates como esses que presenciei, dei-me o direito de fazer um diagnóstico bastante acurado do relacionamento delas. Na minha teoria, havia algum sentimento de culpa por parte da mãe, que certamente fizera algo no passado e tentava se redimir com a filha nesse momento de fragilidade. Mariana, por sua vez, não conseguia perdoá-la, o que motivava sua impaciência com a mãe. Minha tese era bastante coerente e podia explicar cada palavra que eu ouvira entre as duas. Com base no meu diagnóstico, comecei a ficar desconfortável na presença da mãe, e sentia minha paciência com ela se esvaindo a cada dia.

Eu estava bastante satisfeita com a minha capacidade de diagnosticar a situação, quando deparei com uma frase da psicóloga Karina Fukumitsu, especializada na abordagem dos suicídios, na qual ela afirma de forma constrangedora: "Quem está perto compreende. Quem está longe julga". Simples assim. Tão simples quanto minha arrogância ao julgar a relação das duas, sem ter a menor ideia da história que as levou até aqueles momentos. A frase de Karina deveria fazer parte do nosso dia a dia como profissionais da saúde. Aliás, deveria fazer parte inclusive da nossa vida pessoal. No entanto, o que vemos todos os dias são pessoas incrivelmente dispostas a emitir sua opinião sobre tudo e sobre todos, o tempo inteiro. Basta passear por alguns minutos pelas redes sociais para encontrarmos centenas de comentários sobre os mais diversos assuntos – de uma opinião (nem sempre muito sincera) sobre uma foto a um posicionamento filosófico radical. Muitas vezes, as opiniões são emitidas sem que nenhuma informação mais relevante tenha sido fornecida.

O fato é que, com a grande facilidade de comunicação e de obtenção de informações que temos hoje, é tentador opinar. Não sofremos nenhum tipo de consequência mais séria por isso e, mais tentador ainda: não precisamos pensar a esse respeito. Basta falar (ou teclar). Numa entrevista que assisti há algum tempo, um professor contava, embasbacado, como um aluno seu emitiu um parecer radical sobre a obra de Immanuel Kant, um dos principais e mais complexos filósofos da era moderna. A surpresa do professor, infelizmente, não se devia à genialidade do aluno em compreender um autor tão denso, e sim ao fato de que o veredito sobre a obra foi emitido após a leitura de apenas alguns parágrafos de um dos livros!

Fiquei pensando em como me aproximei do tal aluno quando decidi julgar as atitudes de Mariana e da mãe dela. É tão fácil julgar rapidamente e tomar atitudes a partir desse julgamento... e é também tão arriscado, e tão superficial... Julgamentos baseados em nossos conceitos nos levam a erros prováveis e, consequentemente, a atitudes pouco eficazes. Isso se multiplica muitas vezes quando o que está em jogo é um relacionamento humano, com todas as suas complexidades, controvérsias e delicadezas. Se a intenção é auxiliar os outros a enfrentar um problema, uma doença ou uma perda, temos de adotar as perspectivas e crenças alheias, compreendê-las e basear nossas decisões respeitando cada uma delas.

Obrigado por tudo, doutor
Lucas Cantadori

Gostaria de compartilhar com vocês esta pequena história sobre um querido paciente. Nomes não são necessários...

Enquanto o via saindo do consultório médico com dificuldade, não pude deixar de relembrar nosso primeiro encontro, já nos seus 80 e poucos anos, encarando-me com uma serenidade perturbadora enquanto ouvia o veredito sobre seu diagnóstico e possibilidades terapêuticas. Linfoma difuso de grandes células B avançado, doença grave, porém com chance de cura mesmo nessa faixa etária. Mas se tratava de um câncer "maligno" – a "certeza da morte". Pelo menos era o que ele pensava.

— Doutor, eu tive uma vida muito boa, justa, honrada, não tenho do que reclamar. Minha alegria é passar os dias com minha família, cuidar das minhas parreiras e beber meu vinho. Não quero fazer nenhum tratamento que possa me privar desses momentos.

Depois de uma longa conversa – incluindo garantias de que não abdicaria de suas tarefas diárias –, ele decidiu tentar ao menos um ciclo de quimioterapia. Voltou duas semanas depois, mais disposto, feliz com o desaparecimento das adenomegalias. Sempre afirmando, com toda a educação que lhe era peculiar: "O doutor sabe que continuo cuidando das parreiras e tomando meu vinho, né? Só para avisar..."

Completou os oito ciclos sem nenhuma intercorrência, com excelente qualidade de vida, obtendo resposta completa ao tratamento. Remissão.

— Obrigado por me orientar a fazer o tratamento. Pretendo aproveitar ao máximo o tempo que ganhei.

(O médico e o rio)

Dois anos se passaram, bisnetos nasceram, as parreiras renderam algumas safras. Era a vida sendo aproveitada. Mas infelizmente a doença retornou. Lembro-me de vê-lo entrando no consultório, sempre acompanhado por sua esposa, com uma massa cervical de progressão rápida na última semana. Novos exames confirmaram a volta da doença. Expliquei sobre o prognóstico e a possibilidade de um tratamento de segunda linha. Nos seus olhos eu via serenidade, resiliência e gratidão. Sim, gratidão que ele sempre fazia questão de verbalizar: "Pelo atendimento, por toda a atenção, por toda a preocupação e carinho que você e todos aqui têm comigo".

Mas dessa vez a quimioterapia foi difícil. Ele sofria com os efeitos colaterais e começava a ter dificuldades para executar suas tarefas. Estava claro que a doença resistia. E ele sabia:

— Doutor, venha almoçar conosco um dia desses. Quero lhe mostrar minhas parreiras. Ainda consigo cuidar delas, ainda que com dificuldade. Este ano elas estão especialmente lindas, como se estivessem se despedindo de mim.

Não consegui arranjar tempo para aceitar o convite, algo de que me arrependo. Alguns meses depois, suspendi a quimioterapia devido à progressão da doença. A radioterapia conseguiu resolver a dor e os sintomas compressivos.

Conversávamos muito durante as consultas. Ele me explicava sobre os sintomas e o impacto no dia a dia, suas dificuldades e suas expectativas. E conjuntamente trabalhávamos todos esses aspectos. Ganhei uma caixa de uvas deliciosas!

E assim algumas semanas se passaram. Até que o encontrei inesperadamente no corredor do ambulatório, fora do dia habitual de suas consultas. Viera para uma avaliação extra.

Emagrecido, amparado pela esposa, estava muito pálido e cansado. Claramente seu organismo caminhava rumo ao colapso. Pensei: "Vou colher alguns exames agora, hidratá-lo; certamente precisará de uma transfusão. Melhor pedir leito para internação, assim talvez eu consiga compensá-lo". O olhar era o mesmo, sereno.

— Sei o que está pensando, doutor. Mas, depois de tudo que passamos, também sei que você não vai me privar do que é preciso para mim. Não quero colher exames. Não quero receber soro. Não quero transfusão. Não quero ficar internado. Hoje eu saí da minha cidade e vim até aqui para agradecê-lo. Eu tive mais tempo, eu vi meus bisnetos nascerem. Obrigado por tudo.

Vi-o pela última vez saindo do meu consultório, gigante em sua dignidade. Cerca de uma semana depois, recebi uma ligação da esposa:

— Ele faleceu em paz, na nossa cama, segurando minha mão e cercado por seus filhos e netos.

Eu costumava ver a luta contra o câncer de forma dicotômica. Era o bem contra o mal. A vitória ou a derrota. Uma visão simplista e superficial de uma jornada repleta de coragem, escolhas, engrandecimento e aprendizado. Cada um deve interpretar essa história da forma como quiser. Eu continuo aprendendo...

A filosofia da lealdade

Li há alguns dias um texto falando do filósofo Josiah Royce, da Universidade de Harvard, no qual ele descreve o que chamou de "filosofia da lealdade". Royce queria entender por que o simples fato de existirmos (termos um lugar para comer, e estarmos vivos e seguros) simplesmente não nos basta. Por que ter acesso às necessidades básicas nos parece tão pouco, tão sem sentido?

Royce acreditava que todos buscamos participar de algo maior. Ansiamos por fazer parte de algo que seja maior que nós mesmos, que nos permita sentir que fizemos diferença no mundo de alguma forma. Para ele, essa é uma necessidade humana tão básica quanto comer ou dormir. Precisamos ter um motivo válido para viver: uma causa digna dos nossos sacrifícios e sofrimentos. Essa causa pode ser imensa, como atuar em projetos que façam deste mundo um lugar melhor, mas também pode ser pequena, como oferecer cuidado a um membro da família ou até mesmo a um animal de estimação. O importante é que, atribuindo valor à causa, damos sentido à vida.

Royce chamou essa dedicação a uma causa além de nós mesmos de *lealdade*. Ela seria exatamente o oposto do individualismo. Os individualistas atuam de forma que todos os seus atos lhes tragam algum benefício, seja material, emocional ou de qualquer outra natureza. Para um individualista, não faz sentido se sacrificar pelo benefício de outra pessoa que não seja ele próprio. Para quem pratica a lealdade, o que não faz sentido é não ser útil a algo ou alguém. A lealdade defendida por Royce é algo tão necessário para uma vida significativa que, sem ela, a morte se torna absolutamente sem sentido e, portanto, aterradora. Seres humanos PRECISAM de lealdade. Ela não produz, necessariamente, a felicidade, e pode até mesmo ser dolorosa, mas todos precisamos nos dedicar a algo além de nós mesmos para que nossa vida seja suportável. Sem isso, nos tornamos seres movidos por desejos cada vez mais insaciáveis, que acabam se tornando verdadeiros tormentos.

O próprio dalai-lama defende a ideia de que a compaixão é a ferramenta mais poderosa de que dispomos para nos tornarmos seres felizes. Colocar-se a serviço do outro, seja quem (ou o que) for, nos dignifica e dá sentido ao nosso sofrimento. A própria morte deixa de nos apavorar. A única forma de enxergarmos sentido em nossa finitude é sentindo-nos parte de algo muito maior que nós mesmos: uma família, uma comunidade, uma sociedade, uma causa. Nossas prioridades se deslocam do nosso umbigo e passam a se direcionar para o outro. Conforme nosso tempo vai se encurtando, buscamos prazer em coisas mais relacionadas ao "ser" do que ao "ter": o companheirismo, a cumplicidade, o carinho, a afeição, o conforto. Passamos a nos sentir menos ambiciosos e a nos preocupar mais com nosso legado: "Afinal, o que vou deixar para trás que faça que minha vida tenha valido a pena?"

É esse estado de amorosidade e de generosidade que vemos brotar todos os dias entre pacientes com doenças incuráveis ou terminais – que buscam, conscientemente, dar sentido à vida antes que ela termine. Seus olhos passam a perceber o mundo de outra maneira, e eles se sentem extremamente propensos a compartilhar sua nova visão. Nós, médicos, tão próximos dessas pessoas, temos nas mãos (e nos ouvidos) a chance valiosa de aprender o que realmente vale a pena na vida. Mais que isso, temos o dever de ajudar essas pessoas a ressignificar sua existência, permitindo que usufruam do que julgarem mais importante. O problema, aqui, é nossa total falta de preparo para isso. Somos treinados para estabelecer rotinas, determinar atitudes corretas (e seguras) e definir como a vida das pessoas deve ser durante seu processo de adoecer. Nós as impedimos de ter contato com seus animais de estimação, fazemos que evitem viajar, não permitimos que comam alimentos que adoram, determinamos seus horários e definimos que lugares podem ou não frequentar. Decretamos que não podem mais morar sozinhas e até mesmo que tipo de sapatos devem usar. Nada mais inadequado, sobretudo quando estamos falando de doenças incuráveis. O significado da vida, por incrível que pareça, pode estar no olhar do seu cachorro.

Não falo aqui sobre uma revolução na qual diabéticos graves devam comer potes de sorvete ou idosos que não consigam sequer comer sozinhos devam ser deixados em casa para se virar como puderem. Falo, isso sim, de bom senso e sensibilidade. De questionarmos se as condutas que aprendemos na faculdade são realmente benéficas para aquele indivíduo, naquele momento específico da sua vida. Falo, principalmente, do direito que as pessoas têm de fazer más escolhas. Os médicos não são donos da vida alheia. Nossa função é orientar e apoiar, muito mais do que exigir e obrigar. Quanto mais grave a doença, quanto menor o tempo de vida que resta a alguém, maior deveria ser sua autonomia. Quanto mais perto do final, maior a necessidade de que tenhamos ao nosso lado um médico cujo papel principal é de conselheiro, e não de cientista.

E é assim, ao lado de um médico que compreenda o que para nós é sagrado, que conseguimos aplicar a filosofia da lealdade de Royce à vida, tornando-a valiosa e cheia de significado, para que possamos terminar nossos dias sem medo e em paz.

"Chique" é não ir ao hospital hoje

Há dois dias atendi Maria Teresa, minha paciente há três anos, devido ao diagnóstico de câncer de mama. Teresa teve a sorte de receber o diagnóstico numa fase inicial, e embora tenha precisado enfrentar uma cirurgia mutilante, oito sessões difíceis de quimioterapia e dois meses de radioterapia, a doença está aparentemente controlada, com boas chances de cura. Hoje o tratamento dela se resume a tomar comprimidos, que apesar de proporcionarem alguns efeitos colaterais um pouco chatos nem de longe se comparam ao que ela passou no início do tratamento.

Teresa sempre foi uma paciente muito querida. Ela é do tipo que nos abraça e abençoa nossa família, que exprime gratidão em cada atitude. Mesmo durante a quimioterapia, mantinha um sorriso no rosto e o otimismo em cada palavra. Nessa última consulta, não foi diferente. Ganhei um abraço apertado já na porta do consultório, junto com palavras carinhosas. Conversamos sobre a vida (a minha e a dela), sobre as coisas boas que nos acontecem, sobre quanto temos de ser gratos e aproveitar a cada dia. E foi no meio desse papo descontraído que ela me contou da conversa que teve com uma amiga, que estava prestes a viajar para Dubai e comentou de brincadeira que seria muito chique fazer uma viagem daquelas. Teresa olhou para a amiga, sorrindo, e disse: "Chique, meu bem, é não precisar ir para o Amaral Carvalho*". As duas riram muito da colocação inusitada de

---

* Amaral Carvalho é o nome do hospital de câncer de Jaú, onde Maria Helena fez a cirurgia, a quimioterapia e a radioterapia.

Teresa, e eu também ri demais. Ri e fiquei pensando em como nossas experiências de vida transformam nossas expectativas.

A gratidão de Teresa pela chance de sobreviver ao câncer e poder desfrutar de uma vida produtiva por mais algum tempo fez que ela valorizasse cada quilômetro da sua estrada. Não importa se o destino é Dubai ou Bariri, Paris ou Dois Córregos, Londres ou Botucatu. O que importa é que não seja um lugar que lhe ameace a qualidade de vida, que não tire dela a capacidade de estar com as pessoas que ela ama. Teresa aprendeu a ser feliz com o que tem, em qualquer lugar, a qualquer momento.

A mudança de perspectiva que vi em Teresa, no entanto, não é algo tão corriqueiro assim entre pacientes que passam por experiências difíceis envolvendo sua saúde. Muitos compreendem a doença como um acontecimento injusto, que deve ser eliminado a qualquer custo, e atribuem ao médico a responsabilidade de livrá-los dessa injustiça, da mesma forma que cabe ao advogado impedir que um inocente vá parar atrás das grades. Na verdade, buscar culpados para nossos males, ou encará-los como um inimigo a ser vencido, é uma grande perda de tempo e energia. Isso em geral acontece quando as pessoas não compreendem a gravidade da doença e/ou as limitações da medicina (essas informações, sim, são de total responsabilidade do médico). Ao ser "poupadas" de conhecer suas reais perspectivas, essas pessoas são impedidas de decidir o que querem fazer da vida, de escolher o que lhes é mais importante.

As doenças são tão parte da existência quanto as alegrias e os triunfos. Devemos lidar com elas de forma sensata. Precisamos ter a sabedoria de aprender a conviver com elas sem que isso nos despersonalize. A doença não transforma a pessoa que somos, mas pode permitir que o pior de nós venha à tona. Ela pode fazer aflorar nossos medos de tal forma que nos tornamos capazes de agredir a quem amamos, rechaçar quem nos estende a mão, afastar o que nos é valioso.

Diz o ditado: "Se você quer conhecer uma pessoa, dê a ela poder ou dinheiro". Pode ser verdade (acredito mesmo que seja). Mas se a intenção for conhecer a grandeza de alguém, dê a ela uma doença fatal. Mas não se esqueça de explicar a ela a fatalidade da moléstia. Não há nada mais poderoso para fazer aflorar o que uma pessoa tem de melhor do que o confronto com a própria mortalidade. Por isso, quando ouvi Teresa dizendo como era chique não precisar ir ao hospital, a alma dela se agigantou diante dos meus olhos. Ela entendeu que estamos aqui só de passagem, e que cada minuto contribui para que a passagem seja produtiva, independentemente de onde estivermos. Chique, mesmo, é ser feliz.

Quando as palavras se tornam dispensáveis

Lucimara tinha 35 anos quando recebeu o diagnóstico de câncer de colo uterino, já com metástases a distância, e sem possibilidade de cura. Com um filho de apenas 14 anos, e no meio de uma fase brilhante da sua carreira, algo assim não estava em seus planos. Justamente por não enxergar a doença como algo que coubesse em sua vida, as conversas com ela eram sempre muito difíceis. Inúmeras vezes deixei claro que nossa melhor chance de sucesso era o controle da doença, e que a cura era um objetivo irreal. Lucimara sempre respondia com um olhar que misturava desconfiança e inconformismo. Mas acabava seguindo as orientações e os tratamentos, esperando o desfecho daquilo tudo.

Os meses se passaram e ela começou a piorar bastante. Emagreceu, quase não conseguia andar sozinha e tinha grande dificuldade para controlar a dor, porque não tolerava as medicações (nenhuma delas). Ficou mais impaciente e às vezes até agressiva com a família. Não permitia que as conversas sobre o futuro se estendessem, fazendo questão de direcionar o foco exclusivamente para os sintomas. Falava longamente de como estava sua alimentação, mas interrompia a conversa se eu dissesse algo como "a perda do apetite faz parte da doença, Lu". A atitude dela me preocupava. Era difícil saber o que estava se passando ali dentro. Ela não dava pistas. Às vezes, parecia que a Lu negava completamente a existência de uma doença que lhe ameaçava a vida. Em outros momentos, parecia que sua compreensão era tão profunda que ela não precisava mais falar sobre isso.

Certo dia, Lucimara ficou tão debilitada que precisamos interná-la. Não conseguia comer nem beber nada havia vários dias, e tinha começado a vomitar. Logo ficou claro que ela estava evoluindo com obstrução intestinal e insuficiência renal grave e não teríamos muito mais tempo a partir dali. Depois de explicar a ela o que estava acontecendo, tentei mais uma vez: "Lu, estou preocupada, acho que não vamos conseguir resolver isso. O que você imagina que vai acontecer?" E, mais uma vez, ela mudou de assunto, falando apenas sobre o inchaço nas pernas e a preocupação com uma minúscula ferida na mão. Conversamos mais um pouco e, quando eu já estava de saída, ela me chamou de volta: "Doutora, sonda não. Só isso".

Essa foi toda a orientação que tive sobre o que ela desejava para seus últimos dias. E foi suficiente. Quando ela começou a vomitar e nenhum medicamento ou conduta foi capaz de trazer alívio, tanto eu quanto a família já sabíamos o que fazer. Iniciamos lentamente a sedação paliativa e passamos os dias seguintes conversando sobre a pessoa que ela era. A mãe, a irmã, o filho e o namorado permaneciam com ela o tempo todo, entre boas lembranças e momentos de saudade. Foi num desses momentos que a Lu parou de respirar e se foi. Sem sonda. Sem drama. E sem ter precisado de mais do que cinco palavras.

É justamente por elas...

Muitas vezes me peguei falando sobre a importância de iniciarmos conversas que de fato importem com nossos pacientes. Conversas nas quais eles possam compreender suas opções (mesmo que não existam opções boas), ao mesmo tempo que se sintam incondicionalmente amparados. Essas costumam ser conversas difíceis para ambos os lados, permeadas por angústias e incertezas (vividas intensamente pelos pacientes e por suas famílias), e também pela incômoda e deprimente sensação de estar causando sofrimento a alguém (vivida pelos médicos). Mesmo com treinamento, dificilmente saímos ilesos de uma situação assim, então eu costumo me preparar para isso. Respiro fundo, às vezes faço uma oração ou tomo uma xícara de café. Qualquer coisa que concentre meus pensamentos e me fortaleça para começar a tarefa árdua.

Foi assim também com a Emília. Aos 32 anos, com quatro filhas pequenas (a menorzinha tinha apenas 3 anos), ela vinha enfrentando um câncer de mama agressivo – já com metástases nos pulmões e nas adrenais – que não vinha respondendo à quimioterapia. Tínhamos ainda uma opção de tratamento, bastante tóxica e com chance de resposta em apenas 15% dos casos, mas sem nenhuma possibilidade de cura da doença. Um prognóstico sombrio e assustador.

Emília tinha o olhar muito doce, tão doce quanto seu jeito de falar, e isso tornava nossa conversa ainda mais difícil para mim. Comecei relembrando o início da doença, de como vínhamos tentando mudar os esquemas de quimioterapia para controlar seu câncer, e constatando junto com ela o fracasso das nossas estratégias. Ela ouvia serena, complementava minha fala com detalhes que eu tinha esquecido, às vezes sorria de leve. Depois de algum tempo, perguntei se ela compreendia que nossas opções estavam se esgotando. Foram apenas alguns segundos de silêncio até que ela respondesse, a voz firme e calma de sempre:

— Claro que compreendo, doutora, faz tempo que eu sei disso. Eu conheço o meu corpo. Estou vendo que as coisas não vão bem. Mas eu não tenho outra opção, tenho de continuar lutando até quando não tiver mais forças.

Olhei para ela, meu coração tão apertado quanto se pode imaginar. Mas eu tinha de prosseguir.

— Mas, Emília, você não acha que se interrompermos o tratamento talvez você consiga aproveitar melhor o tempo que ainda tem para compartilhar com as suas meninas? Sem os efeitos colaterais da quimioterapia, sem ter de vir tantas vezes ao hospital, fazer tantos exames... Não é hora de pensar nas meninas e dedicar seu tempo a elas?

Emília sorriu, com aquele ar sereno que esconde uma sabedoria ininteligível para nós.

— Doutora, é justamente por elas que eu tenho de lutar. Não para ter mais tempo, porque isso eu sei que não está nas minhas mãos. É para poder ensinar para elas que a gente não deve desistir nunca, nem quando for muito, muito difícil, nem quando não tem mais jeito. Eu quero que elas sejam tão fortes quanto eu.

Dei um grande abraço nela, daqueles que nos aquecem por todos os poros, tamanha minha gratidão por tê-la ali comigo. Gratidão por ver de perto a força do amor de mãe que ela guardava dentro de si, e sua coragem sem limites. Nada de medo, nada de angústia. O que vi em seus olhos foi uma consciência cristalina sobre sua terminalidade e sobre o que ela gostaria de deixar como legado. Vi uma clareza invejável sobre seus valores, sobre as coisas que para ela eram realmente significativas e pelas quais valia a pena sofrer. Transportei-me imediatamente para o lugar dela, pensando no que eu gostaria de significar para minhas filhas. De que forma eu gostaria de ser lembrada? Pela minha força? Minha coragem? Meu carinho? Vi no sorriso de Emília todas as mães do mundo, e me senti tão próxima dela quanto se pode estar de outro ser humano.

Não tem exercício respiratório, oração ou xícara de café que nos prepare para um sentimento assim, que nos conecta de tal forma a outro ser humano que nossa vida se expande. Não há o que nos proteja disso. E, pensando bem... quem quer proteção numa hora dessas?

A vida é dura?

Sempre fico espantada quando deparo com um paciente que mantém a serenidade em meio ao caos. Seu diagnóstico é assustador, seu prognóstico é sombrio, suas perspectivas pessoais vão se restringindo a cada dia e ele permanece ali, em paz, até mesmo feliz. Já confundi essa serenidade com incompreensão, julgando erroneamente que o paciente não era capaz de entender a gravidade da situação em que se encontrava. Já confundi com fanatismo religioso também. Ou até com limitação psicológica. Mas não. O fato é que existem pessoas que conseguem lidar com suas tragédias pessoais dessa forma, impedindo que o desespero tome conta delas.

Sim, a vida é dura. Mais dura para uns que para outros, é verdade, mas fácil não é para ninguém. Mas o que muda, de verdade, não são os fatos e obstáculos que temos de enfrentar, e sim a forma como escolhemos lidar com eles. Tentar evitar dificuldades pode parecer natural e compreensível, mas na verdade não funciona. Nós simplesmente não temos o poder de permanecer blindados contra a dor durante toda a vida: ela não é isenta de dor. O segredo está na invejável capacidade de fazer das tristezas e agruras o caminho para sentir-se mais feliz.

Num primeiro momento, pode parecer impossível (até insano). Mas a prática consciente da paciência é a ferramenta que essas pessoas utilizam para transformar situações de extremo sofrimento em oportunidades de aprendizado. Trata-se de controlar nossas reações naturais (do tipo "Por que comigo?" ou "Isso será insuportável para mim") e treinar a mente para reações mais positivas e eficientes ("Bom, vamos ver como é que eu vou me sair desta vez"). Esse é um treino de todos os dias, de todas as horas, e não algo que deve ser iniciado assim que recebemos uma notícia bombástica como um diagnóstico de câncer avançado. Essas "pessoas iluminadas" às quais me refiro mantêm um padrão positivo de pensamentos há muitos anos, bem antes de uma minúscula célula cancerosa começar a se desenvolver. Elas cultivaram a paciência durante toda a vida (ou pelo menos durante boa parte dela). Elas tendem a não entender os obstáculos como injustiças ou tragédias, e sim como parte do jogo. Treinaram a mente e o coração para isso.

Outra coisa que sempre me chama a atenção é a capacidade dessas pessoas de se livrar da culpa. Não apenas da culpa pessoal, por algum ato que possa tê-las prejudicado, mas da culpa em geral. Elas tendem a não procurar culpados pelas dificuldades da vida. Dificuldades simplesmente são normais. Por maiores que sejam.

Mas nem o pensamento treinado para ser positivo nem a libertação da sensação de culpa são mais tocantes que sua gratidão pela vida. Vejo gratidão em seus olhos e em suas palavras, gratidão por tudo que as cerca. Pela palavra atenciosa da secretária, pelo tempo que o médico lhes dedicou, pela resposta a um e-mail particularmente importante (e pelos e-mails pouco importantes também). Gratidão por comer algo que lhes dê prazer, por ir à festa da neta, por andar dez minutos de bicicleta, por uma boa noite de sono. Trata-se de uma gratidão profunda e sincera, praticada a cada momento, todos os dias.

Como elas conseguem? Como podem ser felizes lidando com uma doença tão cruel quanto o câncer? Alguém poderia responder: "Isso é muito bonito na teoria, mas na prática é muito mais difícil". Concordo. É difícil mesmo. Mas, se a gente parar para pensar, não é muito mais difícil quando uma situação terrível invade nossa vida sem que estejamos minimamente preparados para ela? Condicionar os pensamentos para que possam lidar com situações adversas é como se preparar para uma maratona: você não completa 42 quilômetros sem um treinamento dedicado e prolongado. E ninguém diz que alguém teve "sorte" por completar uma corrida dessas. Então, não se trata de ser privilegiado por ter uma alma iluminada. É muito mais uma questão de esforço do que de sorte. O mais difícil é começar.

A médica de cócoras

Quando eu estava cursando a faculdade de Medicina, tínhamos sempre a oportunidade de observar bem de perto nossos professores fazendo seu trabalho. A visita médica aos pacientes internados, por exemplo, era quase que um evento. Nós preparávamos o caso com antecedência (para não passar vergonha!) e explicávamos tudo para o docente antes que entrássemos todos no quarto. E era então que começava o show. Nós podíamos observá-los conversando com os pacientes, os termos que usavam, os desenhos que faziam para explicar uma cirurgia, e aprendíamos junto com os pacientes sobre os procedimentos que seriam realizados.

A quantidade de informações técnicas fornecidas ali era imensa, mas é claro que estavam todas disponíveis em qualquer bom livro de medicina. O que fazia diferença era "como" elas eram comunicadas. Podíamos assisti-los escolhendo as palavras mais adequadas, o tom de voz, as brincadeiras em momentos oportunos, as situações constrangedoras. Podíamos também perceber quando o contato era péssimo – e nesses casos identificávamos o tipo de médico que NÃO gostaríamos de ser. Mas, entre todas as ferramentas de comunicação utilizadas por esses profissionais tão experientes, nenhuma me parecia tão intrigante quanto seus gestos. Após algumas dezenas de visitas, não era difícil perceber como um toque nas mãos do paciente se tornava um poderoso instrumento de consolo, ou como uma piscadela de olhos era capaz de transmitir confiança e serenidade. A própria postura do médico tinha impacto crucial no resultado da conversa. Vi pacientes ficarem apavorados depois que o médico ignorou sua presença, explicando o procedimento a que seriam submetidos em termos técnicos e dirigindo-se exclusivamente aos estudantes. Também vi pacientes angustiados e receosos ficarem tranquilos e seguros depois que o médico se sentou ao lado da cama enquanto conversavam.

Entre todas as situações que presenciei durante a minha formação, no entanto, poucas marcaram tanto minhas lembranças quanto a médica de cócoras. Eu já era residente e tínhamos internado em nossa enfermaria um senhor com grandes tumorações por todo o corpo, que mais tarde seriam diagnosticadas como um linfoma agressivo. As massas comprometiam gravemente a sua postura, obrigando-o a permanecer sentado o tempo todo, e levemente inclinado para a frente. Pequenas mudanças em sua posição lhe causavam falta de ar ou dor. Isso fazia que falássemos com ele olhando para o topo de sua cabeça e o examinássemos nessa posição. Passamos os dados clínicos para a médica responsável, falamos do volume das massas tumorais e dos remédios que já haviam sido administrados, mas ninguém tocou no assunto da posição pitoresca na qual o paciente estava aprisionado. Era uma situação desconfortável para todos, e ele próprio se sentia extremamente constrangido.

A médica entrou no quarto para a visita, pronta para mais uma conversa corriqueira com um paciente com suspeita de linfoma. Ao vê-lo, ela se deteve por imperceptíveis dois segundos e, sem deixar que nenhum constrangimento se apoderasse do paciente, não teve dúvidas: agachou-se na frente dele, de cócoras, de tal forma que seus olhos pudessem encontrar os dele enquanto conversavam. O que no início era uma situação esquisita mostrou-se uma estratégia eficaz para estabelecer empatia entre os dois. Ele, sempre tão reservado e monossilábico, aos poucos começou a relatar fatos que não tinham surgido anteriormente. Sorriu algumas vezes, e tive a impressão de que até mesmo sua dor havia melhorado. Ela se manteve de cócoras até o final da conversa, sem titubear (mesmo com as pernas certamente já meio adormecidas). A partir desse momento, todos nós passamos a conversar com ele assim, de cócoras, o que permitiu que descobríssemos nele uma pessoa bem-humorada e alto-astral, bem distinta do topo de cabeça de quem vínhamos cuidando.

Já se passaram muitos anos desse dia. Já vi pacientes que só conseguiam ficar sentados, só deitados, só de bruços. Vi uma senhora com um tumor tão cruel no pescoço que a obrigava a ficar o tempo todo com o queixo cravado no peito, torcido para a esquerda, tornando quase impossível olhar em seus olhos. Quase. A percepção do poder do olhar se tornou tão presente na prática que, mesmo com aquele pescoço revirado, demos um jeito de mirá-la nos olhos (precisei subir a altura da cama e colocar um banquinho quase embaixo dela, mas deu certo). Não se trata de devaneio, nem de idealismo médico, tampouco de uma mania pessoal sem sentido, mas de uma ferramenta terapêutica poderosa. Ao nos aproximarmos do paciente, aumentamos as chances de diagnosticar corretamente seu problema e de tratá-los da forma que faça mais sentido para eles. Isso permite que encontremos o paciente no meio de toda aquela doença. E ainda podemos ensinar os profissionais mais jovens com relativa facilidade.

Há alguns anos uma aluna do quarto ano, que estava estagiando conosco na oncologia, me viu agachando em frente a um paciente que estava sentado ao lado da cama para conversar sobre o tratamento. Quando saímos do quarto, ela me perguntou por que eu fazia aquilo, e eu expliquei. Ela então me disse, um tanto constrangida, que tinha aprendido logo no início da faculdade que um médico não pode se rebaixar diante de um paciente, porque isso tira sua credibilidade. Fiquei pensando nos motivos que fazem um médico imaginar que se agachar diante de alguém significa rebaixar-se. Acho que é o contrário. Ao nos colocarmos em pé de igualdade com os pacientes, ambos nos elevamos a uma categoria especial: a de seres humanos conectados entre si.

A boa notícia é que, desde a época da médica de cócoras, já vi inúmeros outros colegas fazendo a mesma coisa: agachando-se, abraçando pacientes, puxando a escadinha ao lado do leito para se sentar, providenciando um bolo no dia do aniversário de um doente internado. A empatia e a compaixão são extremamente contagiosas, e devem ser almejadas pelos médicos tanto quanto a perícia com o bisturi ou a habilidade no manejo das drogas. É nosso dever nos esforçarmos para dominar essas poderosas ferramentas terapêuticas. Mesmo que precisemos ficar assim: de cócoras.

Os médicos do fim da vida

Já no final da consulta, dona Fátima, já ultrapassando seus 70 anos, perguntou-me o que eram esses "cuidados paliativos" descritos na manga do meu jaleco. Embora tivesse um diagnóstico de câncer, seu caso era bem inicial e ela estava terminando o tratamento. Mas creio que a dúvida sobre o significado do termo vinha lhe atormentando havia tempos. Expliquei que a função dos paliativistas era essencialmente proporcionar alívio a pacientes com doenças incuráveis, ou em situações que comprometam significativamente sua qualidade de vida. Falei também sobre o conforto que buscamos oferecer a pacientes terminais e suas famílias.

Dona Fátima pensou por alguns segundos e, um pouco ressabiada, perguntou:

— Então a senhora é uma médica do fim da vida?

— Também, dona Fátima. Cuido de pessoas com doença curáveis, como a senhora, e também daquelas que não têm possibilidade de cura. A essas preciso dar uma atenção muito especial, para que elas não sofram por causa da doença até o dia em que sua hora chegar.

Após mais alguns segundos pensativos, ela concluiu, um tanto impressionada:

— Puxa... a senhora deve ver cada coisa na alma das pessoas...

Na hora eu apenas sorri, e não pude dar uma resposta melhor à conclusão dela. Mais tarde, lembrando-me das suas palavras, pensei nas inúmeras coisas que vemos em nosso trabalho como "médicos do fim da vida".

Pensei nas vezes em que vimos famílias exigindo a manutenção de procedimentos fúteis (e causadores de grande sofrimento) para manter os parentes vivos mais alguns dias a fim de que questões financeiras fossem resolvidas. E em como nós, estupefatos, éramos obrigados a nos confrontar duramente com o lado mais cruel e obscuro dos seres humanos. O dinheiro pode, sim, corromper até as almas mais amorosas.

Pensei nas pessoas que, mesmo em seus últimos dias de vida, mantinham-se arrogantes e autoritárias, incapazes de estreitar laços com a família ou com quem quer que fosse. Aprendemos com elas que vamos morrer exatamente do jeito que escolhemos viver, e que a fragilidade da doença por si só não será capaz de refazer laços que menosprezamos durante a nossa existência.

Lembrei-me da dor infinita que vimos nos olhos de pais perdendo seus filhos, e na força indescritível que eles demonstravam a cada fôlego tomado, a cada noite maldormida, a cada má notícia recebida. A sensação quase opressiva que sentíamos ao assistir à beleza inacreditável do amor daquelas pessoas, e ao nos darmos conta de quão imensa é nossa responsabilidade por estar ali ao seu lado, representando seu apoio, seu guia, sua esperança. Um amor que, em sua forma mais sublime, era também tão desolador. E que fazia nosso peito doer tanto.

Pensei nas tantas famílias desesperadas com suas perdas iminentes, muitas delas tão desesperadas que a pessoa que estava partindo passava a ser coadjuvante. Lembrei-me de como o foco parecia ser repentinamente transferido a si mesmas, e às perdas que a vida delas sofreria dali em diante. Ouvimos frases cruéis, do tipo "Como é que ele pode me deixar no meio da falência da empresa?", ou "Como é que eu vou me sustentar agora?" Vimos ali, esparramando-se sob nossos pés, um egoísmo velado, mal disfarçado, e que nos fazia lutar contra nosso sentimento de desprezo por tamanha superficialidade.

Como "médicos do fim da vida", vemos, sim, atitudes e sentimentos assustadores. Deparamos, necessariamente, com o que há de pior na alma humana. Presenciamos, num único dia, mais sofrimento do que boa parte das pessoas tem contato durante toda a vida. Muitas vezes nos sentimos impotentes. Outras tantas vezes, uma grande decepção com a humanidade toma conta de nós.

Mas, se eu tivesse de explicar à dona Fátima as coisas que mais impressionam os "médicos do fim da vida", certamente não me referiria às grandes misérias humanas. Simplesmente pelo fato de que, embora elas estejam presentes em todos os cantos, seu impacto não chega nem mesmo perto das capacidades quase divinas que presenciamos. E, se eu tivesse de eleger apenas uma dessas capacidades para descrever, eu provavelmente falaria sobre a resiliência. Falaria dessa habilidade surpreendente de muitos dos nossos pacientes em sua fase final de vida, por meio da qual não é deixado espaço para queixas e conjecturas inúteis. Os resilientes conseguem compreender aquilo que lhes é inevitável e buscam ressignificar sua existência a partir daí. Perdoam a si mesmos pelos erros que cometeram, e que já não têm mais importância. Agradecem por aquilo que ainda têm, em vez de lamentar pelo que perderam. Valorizam aquilo que podem alcançar e vivenciar. Tocam o rosto de seus filhos e netos, maravilhados com a sensação que isso lhes causa. Choram, emocionados, ao ouvir uma música que lhes agrada, e têm crises de soluços depois de rir convulsivamente de uma piada. Elogiam a maciez do lençol que foi trocado naquela manhã. Respiram fundo ao sentir o cheiro do café que a enfermeira trouxe. Chupam uma bala de hortelã como se fosse um banquete. E assim, a cada pequena atitude, os resilientes vão cultivando uma felicidade genuína em quaisquer dificuldades que enfrentem, em quaisquer situações que lhes ameacem.

Eu diria à dona Fátima que, se eu precisasse escolher apenas uma habilidade das almas humanas que vi, algo que pudesse me ajudar a terminar meus dias feliz e realizada, essa habilidade seria a resiliência. E ela, provavelmente, me responderia de volta:

— É como eu disse, doutora... vocês veem cada coisa na alma das pessoas...

Com a nossa letra

Seu João beira os 70 anos, e seus últimos meses não têm sido fáceis... Suas muitas décadas de tabagismo lhe renderam um câncer de pulmão avançado, diagnosticado no final do ano passado, sem possibilidade de cura. A primeira estratégia de tratamento, com quimioterapia, não diminuiu o tumor; então, um novo esquema de drogas foi proposto, que ele iniciou há cerca de duas semanas. Em decorrência dessa nova quimioterapia, a imunidade do seu João ficou muito comprometida, e ele acabou sendo hospitalizado em caráter urgente com uma grave infecção pulmonar, precisando de antibióticos potentes e de medicação para manter sua pressão em níveis aceitáveis. Embora os remédios tenham proporcionado melhora, seu João ainda está muito cansado, com falta de ar a qualquer pequeno esforço e alta possibilidade de nova piora em breve, com risco de entrar no que chamamos de insuficiência respiratória. Nesse caso, a conduta médica padrão é a intubação. Foi no meio dessa situação difícil que tivemos nossa conversa.

Seu João estava sentado ao lado da cama, o semblante cansado, precisando de oxigênio o tempo todo e com medicamentos pendurados em frascos por toda a sua volta. Agachei ao lado dele, devagar, e comecei a conversa perguntando o que estava acontecendo. Seu João foi claro. Sabia que tinha um câncer muito grave, e que seu pulmão já era muito ruim mesmo antes do diagnóstico, porque ele próprio o tinha estragado com o cigarro. Sabia que a quimioterapia não havia funcionado. Sabia que o tratamento novo oferecia poucas chances de melhora, e que a complicação atual seria a primeira de muitas, caso o tratamento ainda fosse mantido. Sabia também que estava correndo risco de piorar rapidamente, e que nessa situação os médicos poderiam intubá-lo e ligá-lo a máquinas que respirariam por ele. Ele contou tudo isso com grande calma, mostrando uma lucidez que poucas vezes presenciamos.

Revisei com ele tudo o que vinha acontecendo nos últimos meses e o que esperávamos que acontecesse dali para a frente. Um panorama nada animador. Era claríssimo, para o seu João, que sua vida chegaria ao fim em pouco tempo, independentemente do que fizéssemos. E foi então que perguntei como ele gostaria que fosse. Seu João respondeu prontamente, do seu jeito simples e direto: "Eu já sei que não tenho muito jeito, então não compensa pra mim esse negócio de colocar tubo no pulmão, porque eu ia acabar morrendo de qualquer jeito. Não quero isso pra mim, não. Só quero que vocês façam coisas que não me maltratem e que possam ajudar na falta de ar. Não quero morrer com falta de ar".

Expliquei que temos várias estratégias para aliviar a falta de ar, e que só propomos a intubação quando não conseguimos aliviá-la de jeito nenhum. Mas disse também que, em vez de intubá-lo, poderíamos sedá-lo. Se não temos consciência do desconforto, não sofremos. Isso é o que chamamos de sedação paliativa. Expliquei que a medicação apenas o deixaria dormindo e não mudaria seu tempo de vida. E que só faríamos isso se sua falta de ar ficasse intolerável mesmo com as medidas que tínhamos em mãos.

Seu João olhou para mim, tranquilo e aliviado: "É isso que eu quero, doutora. Se eu não estiver suportando, pode me colocar para dormir. É desse jeito que quero ir embora. Nada de tubos".

Essa breve conversa foi para seu João o que chamamos, em cuidados paliativos, de diretivas antecipadas de vontade. Isso significa que damos ao paciente com doenças graves/irreversíveis a oportunidade de decidir como querem partir. Permitimos a eles que façam escolhas, que decidam o que lhes é intolerável ou humilhante, e zelamos para que seus desejos sejam respeitados. É claro que a lucidez e tranquilidade do seu João não são a regra. A maioria de nós não se prepara para o final, mesmo tendo plena consciência do que vai acontecer. Preferimos deixar para pensar nisso mais tarde. Só que, muitas vezes, o "mais tarde" acontece mais cedo do que esperávamos. E, então, decisões que não tomamos são deixadas nas mãos de médicos ou familiares que não conseguem fazer isso por nós. Ninguém nos conhece tão bem quanto nós mesmos. Ninguém experimenta nossos medos e angústias como nós. Ninguém sabe o que acontece em nossa mente (e no coração).

Não precisamos estar gravemente doentes ou em fase final de vida para decidir como queremos que as coisas sejam feitas. Esse é um processo contínuo de autoconhecimento, que pode mudar a qualquer momento. Mas é preciso expressar nossos desejos para aqueles que estão próximos de nós, para que saibam o que fazer quando nossa hora chegar. Sem drama, sem burocracia. Bastam uma folha de papel e vontade de decidir sobre a própria história. Basta deixar claro quais são nossos desejos. Seu João já vinha pensando nisso havia muito tempo. Tinha ruminado sobre as informações que os médicos vinham lhe passando, tinha pensado sobre a própria existência. Ele já sabia o que fazia sentido para ele. Simples assim.

É nos nossos momentos finais que conseguimos ver com clareza nosso caminho até aquele minuto. Ressignificamos a vida, corrigimos os acidentes mais graves do percurso, perdoamos e somos perdoados, definimos nosso legado. Está em nossas mãos escrever as últimas páginas da nossa história. Com a nossa caligrafia.

A teoria do martelo

Olhos discretamente arregalados, ombros encolhidos denunciando a insegurança e mãos enroscadas uma na outra. Ela vinha conversar comigo depois de dois anos de batalha contra o câncer do pai, portador de glioblastoma, tumor cerebral muitas vezes fatal e de difícil tratamento. Estava visivelmente cansada e pedira para falar com alguém da equipe de cuidados paliativos já havia algumas semanas, mas a médica responsável pela assistência ao pai desencorajara a conversa, dizendo que era cedo demais. Ela insistiu e, depois de vários pedidos, a médica concordou em solicitar nossa avaliação, não sem antes frisar que não adiantaria nada. E ali estávamos, uma de frente para a outra, conversando sobre o calvário que eles vinham enfrentando.

Seu Cícero beirava os 70 anos e sempre foi um homem ativo e cheio de energia. A família toda girava em torno dele, como satélites orbitando ao redor do sol. Quando recebeu o diagnóstico de câncer, imediatamente adiantou que não suportaria uma vida de dependência, em que precisasse de ajuda até para se alimentar. Não queria que outros tivessem de tomar decisões por ele. Mas a doença, cruel como ela só, não respeita os desejos de ninguém. Após algumas linhas de tratamento, os medos de seu Cícero se materializaram, e hoje ele não respondia a nenhum estímulo. Alimentava-se por sonda, precisava de fraldas, não reconhecia as pessoas, ficava longos períodos sem nem mesmo abrir os olhos. Quando os abria, exibia seu olhar nebuloso, desprovido de qualquer emoção. Vinha sendo hospitalizado quase continuamente devido a infecções de repetição, complicações vasculares ou outras intercorrências, duas delas culminando em períodos na UTI. A filha, assistindo à vida sem nenhum significado do pai, solicitara à médica que não fizesse mais tratamentos agressivos, quimioterapias ou procedimentos que, todos sabiam, não devolveriam a vida que seu Cícero considerava minimamente aceitável. Mas ouviu da médica, para seu desespero, que enquanto há vida há esperança, e que o que ela estava pedindo era praticamente o assassinato do próprio pai. A médica ainda propôs uma nova linha de tratamento, experimental, que aparentemente poderia aumentar o tempo de vida dele em até algumas semanas. Disse ainda que era seu dever, como médica, tentar de tudo pela vida de um paciente, e que não, não seria possível que ele melhorasse do ponto de vista neurológico, mas pelo menos prolongariam seu tempo de vida.

Foi no meio dessa angústia que começamos nossa conversa. Para mim era bastante claro que o que seu Cícero e sua filha consideravam "vida" era bem diferente do conceito de sua médica. O aumento de "algumas semanas de vida", sem considerar "como" elas seriam vividas, tinha importância apenas para números estatísticos. Para seu Cícero, não significava nada. Para sua filha, representava mais sofrimento e angústia. Foi quando ela me perguntou, com a voz trêmula de quem começaria a chorar em breve: "Por que os médicos não conseguem parar?"

Suspirei. Creio que a resposta está no que chamo de teoria do martelo. Durante os anos de faculdade, nós, médicos, nos empenhamos em adquirir ferramentas para combater as doenças dos nossos pacientes. Aprendemos como elas funcionam, como evoluem e os tratamentos que podem detê-las. Vemos todas as moléstias – entre elas o câncer – como pregos que precisam ser martelados, e nos esmeramos em garantir que tenhamos martelos potentes nas mãos, que deem conta do recado. Quanto mais potente o martelo, mais eficaz nossa martelada. Passamos nossas noites e finais de semana estudando diretrizes de tratamento, indo a congressos, conversando com colegas e nos envolvendo com pesquisas de novos tratamentos, tudo com o objetivo de aumentar o poder do nosso martelo. É um esforço enorme. Pagamos um preço alto por isso, tanto em termos financeiros como, principalmente, no que diz respeito à vida pessoal.

A questão é que, nessa busca incessante de ferramentas, muitos de nós acabam perdendo a capacidade de discernir quando o que temos à nossa frente não é um prego. Temos pacientes tão frágeis, tão dominados pela doença que estão muito mais para flores. E nos vemos confusos diante deles, com um grande martelo nas mãos, e só. E é assim que nos pegamos desferindo furiosas marteladas sobre flores delicadas, destruindo suas pétalas, anulando seu perfume, arruinando seu legado.

O fato é que não somos obrigados a usar o que temos nas mãos. O que deveríamos fazer é aumentar nossas opções de ferramenta. Martelos são para pregos. Para flores, um bom regador funcionaria muito melhor. Então, que possamos aprender a manejar um regador. Ou alguém já viu um jardineiro martelando seu canteiro de rosas?

Os médicos não são meros prescritores de remédios. Eles cuidam de pessoas que são, em sua mais íntima essência, totalmente diferentes umas das outras e, portanto, precisam de abordagens diferentes. Entre nossas ferramentas mais poderosas está a sensibilidade para identificar suas diferenças, suas necessidades, sua essência. "Quando só o que você tem nas mãos é um martelo, tudo à sua frente lhe parece um prego", diz a sabedoria popular. Médicos que praticam e exercem essa sensibilidade têm nas mãos muito mais do que um martelo. É assim que conseguem enxergar as flores e zelar para que seu perfume não se perca, para sempre, nos corredores dos hospitais.

A boa viola

Dona Rita tem hoje 71 anos. Eu a conheci por causa de um câncer de mama, pequenino como uma ervilha, já operado, desses que o oncologista olha e sorri: "Esse eu resolvo fácil". Vi todos os seus exames antes de chamá-la, e já estava com a estratégia de tratamento pronta na cabeça: radioterapia, alguns anos de tratamento hormonal e em poucos minutos eu poderia encerrar o ambulatório e ir almoçar (eu estava morrendo de fome). Chamei dona Rita. Ela apareceu, lá no final do corredor, acompanhada de uma moça de uns 40 anos. Vinha devagar, passo incerto, precisando do braço da moça como guia. A saia azulada puída que só vendo, encontrando as meias grossas de lã na altura dos joelhos. Os cabelos acinzentados, presos num coque, já estavam desgrenhados àquela altura do dia. Alguma coisa em dona Rita fez meu coração desassossegar.

Logo após meu "Boa tarde" já ficou claro que ela tinha uma limitação mental grave, com grande dificuldade de falar e compreender as palavras. Não conseguia responder a perguntas simples e precisava da ajuda da moça – que eu presumi ser sua sobrinha ou vizinha – para me contar sua história. Na verdade, minha impressão era de que a própria dona Rita mal sabia que história era essa, tanto com relação ao câncer quanto a tudo que lhe acontecia na vida. A moça me explicou que, ainda criança, dona Rita tinha caído de uma laje e sofrido sequelas graves de uma lesão cerebral. Não era capaz de tomar decisões nem desenvolver uma linha de raciocínio (mesmo que simples), não conseguia formar opiniões a respeito de nada e tinha grande dificuldade para se expressar. Mas sabia cozinhar muito bem, cuidava da casa sozinha e executava qualquer tarefa simples que não exigisse raciocínio ou julgamento.

Ela falava da dona Rita com tanto carinho que me vi obrigada a perguntar qual era sua relação com ela. A moça respondeu, discretamente constrangida, que era sua filha. Acho que não consegui esconder o espanto, porque a moça logo emendou a explicação de que não, dona Rita não era casada, nem tinha como saber o que era se relacionar com um homem. Os segundos de silêncio que se seguiram foram mais que suficientes para que eu entendesse que a moça provavelmente era fruto de um estupro. Olhei para dona Rita, que mantinha o olhar distante, e me enchi de compaixão. Devia ter sido uma vida muito dura a dela. Centenas de pensamentos me invadiram daquele momento até o final da consulta. Ao examiná-la, eu me sentia inconformada por alguém ter abusado de uma pessoa tão frágil. Ao explicar o tratamento, meus pensamentos vagavam entre a piedade e a indignação. Meu desconforto era quase palpável.

Ao final da consulta, já na porta, nos despedindo, os olhinhos de dona Rita se encontraram com os meus, e ela sorriu. Cutucou minha mão esquerda e juntou as duas mãozinhas, formando uma espécie de bola, entregando-a para mim. A filha traduziu: "Ela vai fazer um bolinho para a senhora. É a especialidade dela". Meu coração subitamente aumentou de tamanho, até expulsar de mim todo aquele desconforto. O gesto de dona Rita tinha sido como ouvir uma música daquelas que acalentam na alma, e nem a fome me incomodava mais.

Em seu livro *Ostra feliz não faz pérola**, Rubem Alves escreveu o seguinte: "A viola só existe para fazer música. Sem o tocador a viola fica muda. A viola, para ser boa, tem que fazer a música que está na alma do tocador. Pois o corpo é assim mesmo: como uma viola... Há muita gente, viola boa, saúde 100%, que é como viola desafinada, sem tocador. Não faz música. Ninguém é amado por

---

* Rubem Alves, *Ostra feliz não faz pérola*. 2. ed. São Paulo: Planeta, 2014.

ter saúde boa. Há pessoas de boa saúde cuja companhia ninguém deseja. E, ao contrário, há pessoas de corpo doente que são fontes de beleza. Muita viola velha faz beleza de fazer chorar..." Olhando dona Rita ali, sorrindo, com seu bolinho imaginário nas mãos, pude ouvir a música que sua violinha era capaz de tocar. E que ia muito além da sua capacidade de falar, pensar ou se defender das crueldades do mundo.

O câncer de cada um

As consultas do professor sempre são muito tranquilas. Já com certa idade, aposentado da faculdade, e com anos suficientes para lamentar menos e agradecer mais, ele vinha convivendo com um câncer de próstata já havia algum tempo, sempre com boa evolução e sem que a doença chegasse a atrapalhar sua vida. Na verdade, o câncer pouco participa das nossas conversas. Durante as consultas, dedicamos mais tempo a trocar impressões sobre o mundo, as pessoas, livros, a faculdade ou qualquer outro assunto que venha a nos conectar. O câncer é um coadjuvante, quase como se não precisasse estar ali.

Foi justamente por vê-lo como alguém saudável, por raramente associá-lo à doença que habita seu corpo, que fiquei tão surpresa com nossa última conversa. Falávamos sobre os comportamentos das pessoas, sobre como palavras proferidas em momentos inoportunos podem causar dor e sofrimento. Foi no meio desse tema instigante que ele começou a me contar dos sentimentos conflitantes que o invadem quando escuta alguém usando a palavra "câncer" para classificar algo (ou alguém) como sendo o pior de tudo (ou de todos). Contou que, ao ouvir que "Fulano é um câncer na sociedade" ou "Cicrano é um câncer na vida dela", seu coração se aperta. É como se colocassem dentro dele o que há de mais maligno na humanidade e no mundo, como se seu corpo fosse covardemente invadido pela escuridão. O fato é que ele não sente sua doença como algo tão ruim assim. Ao ouvi-lo falar, fiquei pensando nessa relação incrível que o professor, aproveitando toda a sua sabedoria, desenvolveu com uma doença com a qual terá de conviver para o resto da vida. Ele encara o câncer como um pedaço dele que não deu muito certo, mas ainda assim continua sendo parte do conjunto. Assim como uma mãe continua protegendo e amando um filho que comete erros (inclusive graves), ele mantinha uma relação de respeito, quase de "parceria" com a doença. A ponto de se sentir até um pouco ofendido ao ouvir alguém comparando sua doença com algo maligno ou cruel.

Num primeiro momento, ouvindo assim de relance, poderíamos pensar que o professor sofresse de demência leve. Talvez a idade confundisse suas ideias e ele estivesse perdendo a capacidade de discernir o que é bom do que é ruim, ou não fosse mais capaz de compreender que o câncer é uma condição preocupante e até temível. Mas bastaria ouvi-lo mais alguns minutos para entender que seus sentimentos nada têm que ver com perda do juízo. Sua postura é uma expressão admirável, típica das pessoas resilientes – as quais, posso afirmar categoricamente, são justamente aquelas que conseguem lidar com o câncer da forma mais saudável possível. A resiliência é a pedra angular para o enfrentamento de uma doença complexa como o câncer. Trata-se da capacidade de enxergar a doença de forma menos dramática, mais objetiva e sem ressentimentos do tipo "Mas por que isso foi acontecer justo comigo?". A resiliência é uma ferramenta poderosa para lidar com a adversidade.

Depois que ele saiu, fiquei pensando na nossa conversa. Pensei no enorme tempo que passei na faculdade, durante a graduação e a residência médica, encontrando todos os dias com professores como ele, ouvindo tanto sobre tantos assuntos (leia-se tantas patologias). As centenas de livros e informações técnicas, as avaliações intermináveis para garantir que estávamos aptos a exercer a medicina, que dominávamos todas as informações essenciais para cuidar das pessoas e de suas doenças, mas aprendendo tão pouco sobre como cada um lida com os desafios da vida. Fiquei me perguntando se, na formação de um médico, haveria algo mais importante do que entender como as pessoas enxergam suas doenças e de que ferramentas dispõem para enfrentá-las. E olhando o ex-professor ali, expondo de forma tão sensata e tranquila o seu modo de lidar com tudo isso, só pude pensar que somos todos professores uns dos outros, o tempo todo, em qualquer momento e lugar.

Sobre despedir-se

Quanto mais vivencio as semanas finais dos meus pacientes, mais me convenço de que não existem despedidas fáceis. Muitas vezes, durante nosso treinamento para lidar com a terminalidade, deixamo-nos levar pela imagem da morte como algo cheio de beleza e tranquilidade, um momento até feliz. Ficamos inebriados com a possibilidade da morte sem dor, sem angústia, sem sofrimento desnecessário. Esforçamo-nos para conhecer técnicas e medicamentos que permitem tudo isso, e sentimos na pele quão gratificante é ser capaz de promover alívio e exercer a compaixão em sua mais poderosa versão. Mas o fato é que, mesmo sem sofrimento desnecessário, a morte é uma despedida definitiva, por si só já dolorosa.

Sempre que trabalhamos com um paciente e sua família, participamos muito de perto do processo de despedida. Nós os vemos organizar seus bens materiais, a conta no banco, as procurações necessárias, o testamento. Vemos sua preocupação com os filhos (pequenos ou não), com os animais de estimação, com a viagem que estava planejada havia tantos meses, com os pais velhinhos que terão de prosseguir sem sua ajuda. O processo é sempre cheio de reflexões. Sobre o que importa, sobre que legado querem deixar, sobre o motivo de sua existência até ali. E é sempre tão complexo quanto surpreendente assistir às atitudes e decisões tomadas por quem está lidando com a possibilidade de partir em pouco tempo. Faz que nós, médicos, vejamo-nos obrigados a refletir sobre nossa vida também, adotando um ponto de vista incomum para quem não está prestes a partir. Um ponto de vista difícil de encarar: o de que somos tão mortais quanto o paciente que está à nossa frente.

O médico e o rio

Cada história nos faz refletir num ponto da vida. Às vezes nos pegamos refazendo contas e planos financeiros para o futuro, buscando deixar tudo mais ou menos organizado para nossa família quando partirmos. Em outras, cancelamos projetos que não fazem o menor sentido, nos quais nos embrenhamos apenas pela força da vontade de outras pessoas. Ou então nos surpreendemos sentindo uma saudade quase brutal da mãe que não vemos há semanas, ou da irmã com quem só falamos por telefone: a perspectiva de nos afastar delas passa a doer agudamente no coração. Seja qual for o ponto frágil em que os pacientes nos tocam, é sempre difícil vê-los se despedindo. Mas para mim nenhuma situação é mais difícil de vivenciar do que a despedida daqueles que são profundamente apaixonados pela vida. A Marisa era assim.

Marisa era médica, mas sua verdadeira vocação era a música. Cantava lindamente, e com sua voz conseguia tocar o coração das pessoas em segundos. Suas palavras eram sempre de gratidão pela vida, pelas bênçãos que carregava. Vivia rodeada de amigos, que lhe devotavam uma dedicação incondicional. A mesma dedicação que continuaram a ter quando ela adoeceu, com um câncer metastático terrível, que a deixou tão fraca que mal podia se levantar. Olhávamos para seu corpo magro e sem forças, mas só enxergávamos seu olhar. Marisa tinha nos olhos uma saudade profunda da própria vida. Sabia que tinha de partir, e não tinha medo. O que sentia era pena. Pena de ter de partir no melhor da festa. Pena por ter de abandonar projetos que a faziam pulsar de empolgação. Pena por ser impedida de fazer coisas tão simples quanto se alimentar ou dormir na própria cama.

Alguns dias antes de sua despedida final, Marisa cantou para nós. Escolheu a dedo a música, que combinava tanto com ela: "Sorri, quando a dor te torturar, e a saudade atormentar os teus dias tristonhos, vazios... Sorri, quando tudo terminar, quando nada mais restar do teu sonho encantador..." Foi assim, usando sua voz para nos dizer que amaria a vida até seus últimos segundos, que Marisa escolheu se despedir. Ela partiu poucos dias depois.

Ver alguém tão encantado com a vida ter de ir embora foi algo difícil de lidar. Talvez tenha sido minha paixão pela música, ou pelo fato de ela ser médica como eu. Mas creio que não foi só isso. Todos esses anos acompanhando pacientes no final da vida me forçaram a me encantar com a minha existência. Sinto que estou sendo abençoada quando minhas filhas me abraçam, quando sinto cheiro de chuva, quando escuto músicas que amo, quando me enrolo num cobertor gostoso. As despedidas dos outros me conectaram à minha vida de um jeito que, tenho certeza, Marisa compreenderia visceralmente.

Ao vê-la se despedir com tanto pesar por deixar a vida que amava, senti em mim o preço de construir nossa vida sobre valores que nos são caros, que fazem sentido para nós. Certamente vai doer – e muito – quando for eu a me despedir. Mesmo que eu não tenha dor física, mesmo que os médicos possam aliviar meu sofrimento e respeitar minha dignidade. Vai doer simplesmente porque a saudade sempre dói, sobretudo a saudade de nós mesmos. E nessa hora espero que eu possa pensar, como tenho certeza de que Marisa pensou: "Que sorte a minha ter uma vida que faz a despedida ser tão difícil".

O pacto de silêncio

Já fazia algum tempo que Clara perdera a mãe de 89 anos, portadora de Alzheimer avançado, com complicações de uma pneumonia. Nos meses que sucederam o falecimento, ela nunca tocara no assunto comigo, apesar da boa relação médico-paciente que mantínhamos. Na verdade, eu nem mesmo sabia que sua mãe havia morrido. Foi numa consulta de rotina, sem nada de especial, que ela deixou escapar, meio que sem perceber:

— Sim, isso foi logo depois que minha mãe morreu.

Eu me surpreendi.

— Puxa, Clara, não sabia que ela tinha falecido... Meus sentimentos. O que houve?

Foram essas palavras que abriram as portas para a angústia que Clara vinha cultivando dentro de si. Sem me olhar nos olhos, ela contou sobre o início da pneumonia, quando a mãe, dona Pedrina, foi levada ao hospital com tosse e desânimo e imediatamente internada para receber antibióticos. A cascata de complicações que se seguiram era assustadora. Apesar dos antibióticos, a infecção não cedia, e dona Pedrina passou a respirar com dificuldade. Como não conseguia se alimentar, recebeu uma sonda enteral pela narina, o que a incomodava muito. Para que ela não arrancasse a sonda, a equipe de saúde a mantinha restrita ao leito, com o que chamamos de "contenção física" (em outras palavras, suas mãos ficavam amarradas à cama o tempo todo). Após quase uma semana de internação, o quadro só se agravava. Dona Pedrina ficou agressiva. Gritava e tentava soltar as amarras, às vezes chamava o marido já falecido. Não reconhecia ninguém, nem mesmo a própria Clara. Os pulmões também não mostravam nenhum sinal de melhora.

No décimo dia de internação, Clara recebeu um telefonema da irmã, no meio da madrugada, informando que a mãe tinha sido transferida para a UTI porque seus pulmões haviam parado de funcionar. Dona Pedrina foi intubada. Clara chegou ao hospital pouco depois do telefonema, mas não conseguiu ver a mãe até o dia seguinte, devido aos rigorosos horários de visita de lá. Ela se lembrava daquelas horas com um pesar imenso. Imagens da sua mãe sozinha, inconsciente, em meio a tubos e ruídos estranhos, invadiam seus pensamentos. Ela não conseguia comer, dormir, mal podia raciocinar.

Os dias que se seguiram foram ainda piores. Os órgãos de dona Pedrina iam parando um após o outro, e para cada falência orgânica havia um novo procedimento. Sua pressão arterial estava baixa, então ela recebia medicamentos para que permanecesse minimamente estável. A hipotensão causara lesões nos rins, e a equipe de saúde começara a hemodiálise três vezes por semana. A coleta de exames de sangue tinha de ser diária, mesmo com os braços de dona Pedrina tomados por hematomas e equimoses. A enormidade de soros e medicamentos assustava Clara. Reposição de cálcio. Medicações para controlar o potássio. Antibióticos. Sedativos. Dosagens periódicas da glicose. Clara me contou, agora já olhando para mim, que não conseguia mais enxergar sua mãe no meio da parafernália médica. Tudo o que via era uma cortina barulhenta de tubos, frascos, aparelhos, sondas e cabos em torno de alguém que ela não reconhecia mais. Foram 12 dias de UTI até que dona Pedrina finalmente descansasse em paz.

Levantei da cadeira e fui abraçar Clara. Ela chorava um choro contido e profundamente triste. Perguntei como ela estava lidando com tudo aquilo, e o que a angustiava em toda essa história. Ela foi categórica: "O que me dói, doutora, é não ter tido a oportunidade de me despedir dela. Hoje olho para trás e vejo como era óbvio, já nos primeiros dias de internação, que ela não sairia viva do hospital. Não precisava ser médico para saber disso. Mas ninguém, nem da família nem da equipe de saúde, disse uma só palavra. O que me angustia é termos todos ficado em silêncio. Nós fingíamos que não entendíamos que a vida dela estava chegando ao fim. Os médicos se escondiam atrás dos protocolos, tratando complicação atrás de complicação, órgão atrás de órgão, sem se perguntar se aquilo fazia algum sentido. Os enfermeiros restringiam seu papel a executar tarefas, inúmeras tarefas, sem juntar todas as peças, sem questionar. O maldito pacto de silêncio fez que minha mãe passasse seus últimos dias sendo torturada sem nenhuma possibilidade de benefício".

As palavras de Clara eram muito familiares para mim. Não foram poucas as vezes em que presenciei pacientes sem perspectiva de melhora sendo rapidamente engolidos por protocolos e tecnologias avançadas que não foram desenhados para eles. Pessoas cuja dignidade foi roubada no fim da vida. Clara estava certa. A culpa é, na maioria das vezes, do silêncio. O silêncio que paira sobre as famílias, que não querem verbalizar algo doloroso como a morte de alguém que amam. O silêncio dos médicos e enfermeiros, que não têm tempo, treinamento ou disposição para começar conversas que realmente farão diferença para aquelas pessoas. O silêncio que só é quebrado pelo incessante ruído dos monitores cardíacos e alarmes da UTI. Silêncio que causa dor e passa a morar no coração dos familiares por anos após o desfecho final.

Talvez a dor de estarmos prestes a fazer nossa travessia final seja tão grande que nos emudeça. Talvez o final seja tão assustador que cale a todos ao nosso redor, confrontando cada um com a própria finitude, paralisando a capacidade de quebrar o silêncio e agir com compaixão e dignidade. Mas fugir da travessia, certamente, é ainda mais doloroso. Fernando Pessoa certa vez escreveu: "É o tempo da travessia. E, se não ousarmos fazê-la, teremos ficado, para sempre, à margem de nós mesmos". O silêncio, sem dúvida, é o caminho mais curto para nos manter, para sempre, ancorados às margens de nós mesmos.

O que é coragem para você?

Uma amiga certa vez me confidenciou sobre seu medo irracional de borboletas. Isso mesmo: borboletas. Ela não conseguia permanecer numa sala com uma borboleta se debatendo em algum canto. Também era incapaz de achar, como a maioria da humanidade, que um canteiro de flores cheio de borboletas sobrevoando as plantas era um cenário bonito e relaxante. Para ela, os bichinhos causavam um pavor inexplicável. Mas o motivo de ela ter me contado seu segredo não era o medo em si, porque ele continuava lá. O que ela queria me contar, entre envergonhada e orgulhosa, era que conseguira visitar um borboletário em sua viagem a Campos do Jordão sem sair correndo. Queria me falar sobre a sua coragem.

O processo fora longo, tendo se iniciado meses antes, quando amigos comentaram, fascinados, sobre o tal borboletário. É claro, ninguém sabia do seu medo de borboletas. E foi nesse momento que ela decidiu que ninguém precisaria saber. Começou a trabalhar o próprio medo. Leu sobre o assunto, fez exercícios de relaxamento e tudo que julgou ser útil para lidar com aquilo. Aos poucos, foi entrando em contato com borboletas. Uma só. Depois mais uma. Depois um passeio no jardim, com duas ou três. O medo foi se transformando em incômodo, e ela já conseguia se controlar. A visita ao borboletário, no fim das contas, foi uma experiência libertadora. E o mais incrível foi que ninguém nem percebeu.

Fiquei pensando em como tendemos a minimizar os medos alheios. "Mas é só uma borboleta", diria qualquer um. Borboletas não fazem mal a ninguém. Achamos argumentos válidos para todo tipo de medo, menos para nosso medo da morte. Quando alguém diz que está com medo de morrer, o silêncio é nossa principal resposta. Fugimos. A morte, desde sempre, aterroriza, pelos mais diversos motivos. E, quanto maior o terror, maior a coragem de quem o enfrenta. Lembrei-me das tantas vezes em que ouvi colegas médicos, consternados, escapando do assunto ao menor vislumbre de que o paciente gostaria de debatê-lo. Ou dos inúmeros pacientes que passavam seus dias, um após o outro, ignorando descaradamente (ou fingindo ignorar) a própria decadência física que os levaria ao fim. O medo nos faz agir das formas mais espantosas...

O fato é que o medo, seja da morte ou de borboletas, é capaz de modificar o curso de uma vida – e o faz de forma cruel, muitas vezes impedindo as pessoas de entrar em contato com o que há de melhor nelas mesmas. Mas há pessoas que, por algum motivo (divino, pessoal ou simplesmente ininteligível para quem está de fora), conseguem lidar com a morte encarando-a bem nos olhos. Mais ou menos como minha amiga fez com suas borboletas (guardadas as devidas proporções, obviamente). Quem olha sem muita atenção para seus semblantes tranquilos, para sua resignação, para o olhar cheio de paz pode achar que o processo foi fácil. Um olhar desatento pode até chegar a imaginar que a própria morte não é, afinal, nada demais. É só mais uma borboleta. Ou, pior, pode ficar com a impressão de que essas pessoas não tiveram a coragem necessária para lutar pela própria vida. Simplesmente se entregaram.

Para esses desatentos, fica meu aviso: olhem de novo. Olhem bem de perto. Tentem perceber os (inúmeros) arranhões escondidos sob o semblante calmo. Tentem enxergar, por trás da resignação, os incontáveis momentos de dor e angústia que precisaram ser trabalhados e superados até aquele exato instante de paz. Acreditem: foram muitos. Ouvir sobre a incurabilidade da doença. Sobre a ausência de opções terapêuticas disponíveis. Sobre a expectativa limitada do tempo de vida. Ouvir um irmão buscando, desesperadamente, algum tratamento milagroso que resolvesse a situação. Enxergar, por trás dos olhos vermelhos de uma filha, como sua partida seria difícil. Lidar com a dor, com a falta de ar, com a perda da autonomia. Para cada um desses momentos, um espinho cravado no coração. E, para cada espinho, a paciência para retirá-lo e cuidar da ferida deixada. Sem desistir de viver o melhor possível pelo tempo que estivesse disponível.

Transformar a própria morte numa experiência significativa ou até libertadora exige muitas coisas, mas acredito que o requisito principal seja a coragem. Isso não tem nada que ver com não sentir medo ou mesmo ignorá-lo quando ele se apodera de nós. Coragem tem que ver com seguir em frente apesar do medo. Ele está sempre lá, por trás dos olhos tranquilos ou das palavras doces de despedida. O que muda é a capacidade de mantê-lo, em nossa escala de prioridades, num nível abaixo de coisas que são muito mais importantes. "Estou com medo, mas conversar com minha filha sobre como ela é incrível para mim é muito mais importante." "Estou com medo, mas quero muito ser lembrado como alguém que valeu a pena ter conhecido." Nesse caminho difícil, legados vão sendo plantados e cultivados. A vida adquire significado quando entendemos nosso papel no mundo, não importa o papel em si.

A boa notícia é que todos nós, sem exceção, podemos trabalhar nesse significado a qualquer momento, desde sempre. Nós morremos exatamente como vivemos. A proximidade da morte não vai nos transformar em outras pessoas. Não ficaremos mais valiosos, mais inteligentes, tampouco mais destemidos. O que mudará será apenas nossa noção do que é significativo, e isso pode ser feito já. Em última análise, o mais importante você já sabe: a vida acaba. O que não acaba é o que você faz com ela. Estamos, todos, a caminho do borboletário.

Alguém certa vez escreveu (não me lembro agora quem foi) que o segredo é não correr atrás das borboletas, e sim cultivar o jardim para que elas venham até você. Olhe para o lado, enxergue uma borboleta. Aprenda a lidar com ela. Lide com duas, três, uma dúzia. Aprenda a se sentir mais confortável no meio de um jardim cheio delas, e cuide do jardim para que elas não voem para longe. Mesmo que dê medo e mesmo que dê trabalho. Faça isso conscientemente, da forma que fizer sentido para você: cultivando seus relacionamentos, agindo em prol do mundo ao seu redor, espalhando bons sentimentos e boas atitudes por onde quer que você passe. Encha seus momentos de significado. É do significado que nasce a coragem. Da coragem para um final digno e tranquilo, acredite, é apenas um pulinho.

Quando eu deixo você tocar meu coração

Dia duro. Na verdade, semanas muito duras, daquelas em que meu estoque de compaixão vinha se esgotando muito antes de o dia terminar. Pacientes graves, um atrás do outro, entravam e saíam do consultório, com problemas tão complexos que eu mal conseguia respirar entre as consultas. Metástases no cérebro. Sangramentos no estômago. Crises de ansiedade. Aumento das metástases no fígado. Um câncer descoberto no meio da gravidez. Eu olhava para aquelas pessoas, para seus olhos assustados ou suas mãos tremendo, e me sentia mortalmente incapaz. Não conseguia abarcar, com meus parcos recursos, o tamanho do seu sofrimento. Não me sentia digna da responsabilidade que elas colocavam em minhas mãos. Estava emocionalmente exausta.

Em linguagem técnica, chamamos isso de fadiga por compaixão. Acontece quando, sem nos dar conta disso, dedicamos ao outro um recurso que nos é finito. O efeito colateral é óbvio: começamos a bloquear nossa capacidade de compreender o sofrimento do outro, e nossa resposta a ele passa a ser cada vez menos adequada. Perdemos a paciência com mais facilidade, nos irritamos por pouco, sentimos um cansaço incontrolável nos consumindo já nas primeiras horas do dia. Os "remédios", ao que parece, são muitos: férias, atividades de lazer, distrair-se em outros contextos, terapia... Nada que me fosse viável para já, entre uma consulta e outra.

Foi nesse contexto difícil que me apareceu dona Maria Augusta, com seus quase 70 anos, queixando-se dos efeitos colaterais da quimioterapia, que ela vinha recebendo havia vários meses, com excelente resposta (as metástases no fígado tinham desaparecido). Dona

(O médico e o rio)

Maria entrou no consultório logo atrás do marido, também de idade, o qual já veio me dando o aviso: "Ela não está bem, não, doutora..." Meu primeiro pensamento foi de que eu não daria conta dela. Idosa, debilitada, com um câncer avançado, e passando mal... Mas eu não tinha outra opção que não fosse escutá-la. Ouvi dona Maria falando sobre a diarreia contínua, que debilitava seu corpo e que só cessava quando ela interrompia os comprimidos da quimioterapia. Registrei a perda de peso. Vi a pele fina das suas mãozinhas, avermelhadas e doloridas, resultante daqueles mesmos comprimidos, que vinham atrapalhando seu crochê e encurtando suas caminhadas. Respirei, aliviada: "Graças a Deus que é só isso. Acho que essa eu consigo resolver". E, depois de explicar rapidamente aos dois que bastava atrasar um pouco o início da próxima quimioterapia e reduzir a dose dos comprimidos, fui encaminhando dona Maria até a porta do consultório, já pensando no paciente seguinte. Foi então que ela parou na porta e, sem mais nem menos, me abraçou pela cintura (ela é minúscula, da altura da minha filha de 11 anos), enfiando os cabelos desgrenhados sob meu queixo, e agradeceu de um jeito que me deixou tão surpresa quanto emocionada. "Obrigada, doutora, muito obrigada."

— Obrigada pelo quê, dona Maria? Eu só ajustei a dose do seu remédio!

E ela, tão frágil que nem sei descrever seus olhos naquele momento:

— Desculpa a emoção, doutora, é que vim pensando que ia ter de parar o tratamento, que está me fazendo tanto bem. Sem ele, eu sei que iria morrer muito rápido. Obrigada por me dar essa chance.

Depois que ela saiu, fiquei ali, sentada, eu e meu coração cansado, que ela consertara com algumas poucas frases e um abraço apertado. Eu não fazia ideia de que algo que era para mim uma simples obrigação podia ter um significado tão mais bonito para ela. Foi assim, deixando que dona Maria tocasse meu coração, que descobri que a gratidão pode ser bem mais eficaz do que férias, diversão ou qualquer antidepressivo. A gratidão, agora, é toda minha.

É só por ela

Sempre que ouço alguém falar sobre a Gabriela, vem-me à memória o dia em que a conheci, no pronto-socorro, quando ela chegou ofegante e extremamente debilitada, com uma grave infecção pulmonar associada a uma embolia. Lembro-me bem de vê-la, de longe, lá do posto de enfermagem, enquanto o residente me falava sobre seu estado grave, e das dúvidas de todos quanto à indicação de intubá-la e colocá-la num respirador artificial devido à insuficiência respiratória. A dúvida vinha do fato de Gabi ter um diagnóstico de base muito grave, um câncer de mama metastático do tipo "triplo negativo", para o qual já tinham sido tentados diversos esquemas de quimioterapia, sempre com respostas inexpressivas e temporárias. Revendo seu prontuário, com todos aqueles exames mostrando o comprometimento do seu corpo pelo tumor, e a ausência de novas estratégias de tratamento realmente efetivas, nosso primeiro impulso foi dizer ao residente que colocá-la num respirador apenas prolongaria seu processo de morte à custa de mais sofrimento. Olhávamos para a tomografia do tórax e não víamos possibilidade de que ela conseguisse sair dos aparelhos, mesmo se tratando de intercorrências agudas e potencialmente reversíveis. A doença dela era avançada demais... Mas contivemos nossos impulsos e conversamos com ela (várias vezes...) antes de assumirmos qualquer posição.

Antes mesmo que chegássemos perto, percebíamos os olhos dela procurando os nossos. Ela tinha luz naqueles olhos! Eu, que esperava aquele olhar opaco e sem vida que já vi tantas vezes em pacientes que estão perto de partir, fiquei surpresa. Minha surpresa aumentou ainda mais quando vi seu sorriso por trás da máscara de oxigênio. Por baixo do corpo judiado, morava uma alma feliz. Conversávamos com ela sobre como estava se sentindo e, apesar de se dizer cansada, Gabi não demonstrava nenhum tipo de medo, dor ou sofrimento em suas palavras e atitudes. Estava tranquila e confiante. Ela própria explicou sobre a infecção e a embolia, dizia que sabia que a situação estava delicada, mas que "o que a gente tem de passar ninguém passa pela gente" (outro sorriso). Mas sorriso aberto mesmo eu vi quando perguntávamos qual era a coisa mais importante da sua vida. A resposta era imediata, sem pestanejar: a filha Letícia, de 11 anos. Letícia era sua luz, sua razão de viver, e o motivo pelo qual Gabi estava disposta a enfrentar qualquer tipo de desafio, até mesmo ser colocada em aparelhos para respirar, ainda que com chances mínimas de conseguir sair daquela situação. Se houvesse a possibilidade, por menor que fosse, de ficar mais algum tempo com a filha, ela queria tentar.

As palavras dela, tão dolorosas de ouvir, eram amenizadas pela doçura com que eram ditas. E a serenidade dos seus olhos não deixava dúvidas de que ela sabia exatamente o que gostaria que fizéssemos. Combinamos que tentaríamos ao máximo não colocá-la em aparelhos, mas que, se isso fosse necessário, seria nossa conduta. Os dias se passaram e, contra todas as expectativas, Gabi melhorou. Embora tenha precisado de ventilação artificial, utilizamos uma técnica não invasiva à qual Gabi respondeu surpreendentemente bem, e o quadro respiratório melhorou. Ela foi de alta, para os braços de Letícia, algum tempo depois.

As semanas se passaram, e muitas vezes a vi pelo corredor do ambulatório desde então. A colega que a acompanha nos traz notícias. Conta da progressão cruel da doença, com nódulos e feridas se espalhando pela pele dela, muitas delas com sangramentos, o que obriga Gabi a estar sempre enrolada em curativos. Fala da piora visível no estado geral, do emagrecimento, da debilidade. Mas, por mais que saibamos como a doença salta à vista de todos, ao olhar para Gabi só vemos uma pessoa grata, feliz por cada minuto que consegue ter ao lado da filha. Grata por não sentir dor, o que permite que ela possa passear com Letícia, assistir a um filme com ela ou apenas bater um papo na cozinha. Grata por ainda conseguir ficar em casa, e assim não atrapalhar os estudos da filha com internações prolongadas. Grata por ter a chance de contar à menina quanto a ama e ensinar a ela seus valores mais sagrados. Gabi agradece por cada minuto de vida.

Nenhum de nós sabe quanto tempo elas ainda terão juntas. Ninguém imagina qual será o evento fatal que obrigará as duas a se despedir dessa vida. O que aprendemos, com a boca aberta e o coração aquecido, é como o significado da nossa vida é importante para que possamos suportar o sofrimento. Estar em contato com o que nos é valioso. Escolher agradecer pelo que temos em vez de lamentar o que perdemos. Entender que nossa vida é temporária, mas o que fazemos dela é eterno. Eterno como os laços entre a Gabi e a Letícia, que nenhum sofrimento físico consegue desatar.

Os eucaliptos

Foi numa dessas conversas durante um café que um amigo me contou como se desenvolvem os eucaliptos. Ele tinha lido um texto que descrevia por que motivo as florestas de eucaliptos no Brasil são conhecidas como "desertos verdes". Os eucaliptos são árvores originárias da Oceania, principalmente da Austrália, mas seu cultivo rapidamente se espalhou pelo mundo devido à sua alta capacidade de adaptação a vários tipos de clima. As florestas são impressionantes de se ver, com lindas copas bem verdes e muito altas, e os característicos troncos longos e manchados, dos quais extraímos a celulose. Olhando assim, meio de relance, o primeiro impulso é estender uma rede ali mesmo, sob as árvores, e descansar sob sua sombra confortável. Mas, depois de algum tempo, começamos a ter a sensação de que algo está faltando por ali. Olhamos para cima, para os lados e, finalmente, para baixo, onde vemos... nada. Em volta dos eucaliptos, não crescem outras plantas. As substâncias químicas que resultam da decomposição das suas folhas acabam modificando o ambiente, impedindo que a floresta nativa se desenvolva. Os eucaliptos não percebem as necessidades de luz, água ou nutrientes de outras plantas. É por isso que muitos estudiosos acreditam que essas florestas são uma ameaça à biodiversidade. Suas copas são frondosas e verdes, enquanto o solo ao seu redor é praticamente um deserto.

Achei essa história impressionante. Não pelos eucaliptos em si, visto que a Botânica nunca fez parte da minha vida e eu mal consigo manter vivas as flores do meu jardim. O que me chamou a atenção foi a incrível semelhança com pacientes que conheci no decorrer da minha vida. Às vezes, lidando com pessoas em fase final de vida, somos obrigados a deparar com uma imensa solidão. Vemos homens e mulheres cujos vínculos afetivos são tão frágeis que mal podemos notá-los. As visitas da família ou de amigos em geral são poucas, ou então cercadas de um clima de desconforto quase palpável. Não há beijos carinhosos nem abraços apertados. Com sorte, pegamos um gesto tímido de compaixão, daqueles que deixam dúvidas quanto à sua sinceridade... São pessoas que falharam brutalmente na criação de laços afetivos, porque nunca foram capazes de permitir que eles florescessem ao seu redor. Elas sufocaram os bons sentimentos das pessoas.

Não estou falando necessariamente daqueles que são maldosos ou cruéis com seu círculo de relacionamentos, pois esses terminam seus dias absolutamente sozinhos e nem eles próprios se surpreendem com isso. Falo aqui das pessoas que, em seu crescimento rumo ao topo, não conseguem enxergar as necessidades, forças, fraquezas ou os talentos de quem está ao seu redor. Muitas vezes, não é por maldade, mas por incapacidade. Em geral, elas encontram explicações totalmente plausíveis para sua insensibilidade: estão muito ocupadas, e seu trabalho ou função é tão importante que os outros terão de entender seu distanciamento. Estão sempre sobrecarregadas de tarefas que elas mesmas se impõem, inconscientemente fugindo da trabalhosa lida de cultivar seu entorno. Não sobram ar nem água para mais ninguém em volta delas. São eucaliptos e nem se dão conta disso.

É assim que, um belo dia, elas se veem sozinhas e confusas, sem compreender como uma vida de tanto trabalho, dedicação e esforço não gera afeto nem gratidão. Às vezes, somente tarde demais elas enxergam que esses sentimentos não surgem automaticamente em resposta aos nossos atos, mesmo que os consideremos magnânimos. Eles precisam ser conquistados. Só oferecemos nosso tempo e nosso carinho a quem julgamos digno deles, e esse julgamento é fortemente influenciado pelas emoções que o outro provoca em cada um de nós. Se passarmos nossos dias causando desconforto, angústia e insegurança, sendo ingratos ou insensíveis aos esforços e talentos alheios, chegaremos aos nossos últimos dias com um enorme e árido deserto ao nosso redor. Seremos uma floresta de eucaliptos. E só.

Para quê?

Conheço a Eliza há bastante tempo, pelo menos uns oito anos. Foi quando ela recebeu o diagnóstico de câncer de mama, foi operada e depois precisou de quimioterapia, sendo então encaminhada aos meus cuidados. Desde as primeiras consultas ela me encanta. Eliza entra no consultório já me abençoando, dizendo coisas bonitas e emocionantes, sempre com seu sorriso doce enfeitando as palavras. Religiosa como só ela, muitas vezes me fez acreditar que havia um motivo divino para cada adversidade que enfrentei. E é essa fé inabalável, essa força que ela cultiva dentro da sua alma que conduziu sua vida nos muitos obstáculos que ela superou no decorrer desses anos todos.

Já tinham se passado mais de cinco anos da mastectomia quando sua doença resolveu voltar a dar o ar de sua graça: metástases surgiram nos ossos. Eu via nos seus olhos a apreensão, mas também via em seu sorriso a resignação de quem confia sua existência a algo (ou alguém) maior do que nós. Eliza participa ativamente do seu tratamento, pergunta tudo sobre a doença, sobre o tratamento, sobre as suas perspectivas. A cada progressão da enfermidade (hoje ela está aprendendo a conviver com metástases no fígado), sua postura é sempre esta: guiar o barco, puxando para si mesma a responsabilidade de concluir cada tratamento e de lidar com a toxicidade das medicações. Mas sempre, em todas as consultas, sem exceção, Eliza ocupa os minutos finais deixando claro quanto confia em Deus e no destino que Ele lhe reservou. Não há nenhuma dúvida nos seus olhos – ao contrário, eles se iluminam quando ela fala sobre a missão que tem a cumprir nesse mundo, e sobre como é grata às parcerias que a ajudam no caminho, incluindo-me carinhosamente nelas. Eliza conduz o barco, mas quem determina a rota é Deus.

Essa semana ela veio me ver. O sorriso doce continua o mesmo, assim como seu velho hábito de terminar as consultas louvando ao seu Deus caridoso e protetor. E foi durante sua fala final que ela disse algo que me tocou o coração. "Quando eu penso nesse câncer e em todos os desafios que venho enfrentando esse tempo tudo, eu não pergunto o porquê disso tudo. Eu pergunto para quê. Eu sei que Ele quer que eu use essa experiência na minha missão, para espalhar o Seu amor às pessoas ao meu redor. Eu só preciso me lembrar disso a cada passo." Eliza encheu meus olhos de lágrimas.

Como alguém que enfrenta tantos desafios e adversidades encontra um significado tão sagrado em sua dor? Como ela consegue erguer o olhar acima do próprio sofrimento a ponto de enxergar não apenas os outros, mas um mundo inteiro, e enxergar a si mesma como uma ferramenta necessária para algo maior? Muitas vezes ouvi pessoas desprezando o poder da fé. Muitas vezes ouvi que a fé é a muleta dos ignorantes, ou que é um sentimento inventado pelos covardes. Não é. A fé não passa nem perto disso. Ela é uma ferramenta poderosa, capaz de transformar vidas, amenizar o sofrimento, tornar uma existência sagrada. Não deve ser explicada, mas vivida – mesmo quando não move montanhas. Vendo Eliza se despedir, com tantas bênçãos que ela sempre deixa atrás de si, eu só conseguia pensar na sorte que tenho de participar da sua vida. Pelo tempo que Ele desejar.

Cuida de mim?

Dona Elza tem hoje perto de 70 anos, e desde que a conheci, quase um ano atrás, ela sempre manteve sua postura tranquila e decidida. Quando recebeu o diagnóstico de câncer de mama, pediu uns poucos dias ao mastologista e em seguida marcou a cirurgia. Foi a mesma coisa quando conversei com ela sobre a necessidade de fazer quimioterapia depois da mastectomia, porque seu câncer era de um tipo agressivo e com alto risco de retornar depois de um tempo: dona Elza pensou um pouco, tirou suas dúvidas e decidiu que não queria passar por um tratamento como aquele. Conversou com o filho e, juntos, tomaram a decisão: ela preferia morrer a receber quimioterapia. Embora esse tipo de decisão do paciente sempre gere certa angústia no oncologista, no caso de dona Elza eu me senti absolutamente tranquilo. Era muito claro que ambos haviam compreendido profundamente os riscos e benefícios potenciais do tratamento, e tinham tomado a decisão que era mais compatível com a vida que dona Elza estava disposta a viver. Ela preferia viver menos, se fosse o caso, mas viver melhor. E assim foi feito.

Ela vinha me visitar periodicamente, sempre com seus passinhos curtos e inseguros, consequência da cegueira que a acompanhava havia vários anos. Dona Elza não consegue enxergar mais que alguns vultos à sua frente, e precisa de ajuda para se locomover fora dos ambientes que lhe são familiares. De resto, estava sempre muito bem, certa de que sua decisão fora a mais adequada. Conversávamos sobre sua vidinha, sobre o tricô (que ela consegue manter, mesmo sem enxergar quase nada!), sobre o cachorro que lhe foi dado de presente pela vizinha. Até que uma tosse, daquelas bem chatas, começou a perturbá-la. Fizemos exames e lá estavam eles: nódulos metastáticos no pulmão. A doença voltara.

O resultado do exame me encheu de tristeza. Embora todos soubéssemos do grande risco, sempre apostamos na possibilidade de termos nos livrado do câncer ali, na mesa do centro cirúrgico. Vê-lo comprometendo os pulmões de dona Elza foi como receber um zero no boletim da escola. Quando a chamei para dar a má notícia, fiquei na porta do consultório observando seus passinhos, já meus velhos conhecidos, e suas mãos se apoiando nas paredes do corredor. Ela sorria, e a poucos passos de mim tirou as mãos da parede para me dar um abraço. Expliquei a ela e ao filho sobre os resultados, e sobre o fato de estarmos agora diante de uma doença incurável, para a qual a única opção de controle seria a quimioterapia. Passaram-se alguns segundos de silêncio, quebrados pela voz tranquila da dona Elza:

– O que a senhora sugere, doutora?

Respirei fundo e disse que meu cérebro de oncologista dizia para insistir na quimioterapia, pois era a única ferramenta disponível para controlar a doença e permitir que ela vivesse um pouco mais de tempo. E em seguida acrescentei que meu coração não concordava com isso, e que pelo que eu conhecia dela me parecia incoerente começar quimioterapia agora, numa situação bem mais desfavorável, se anteriormente ela já tinha recusado o tratamento mesmo com possibilidade de um resultado melhor. Dona Elza sorriu. Na mesma voz tranquila de sempre, respondeu:

– Eu nunca nem vi o seu rosto, e a senhora entende tão bem o jeito como eu funciono... Que bom poder contar com a senhora. Não vou fazer quimioterapia, não. A senhora cuida de mim, até o dia que Deus achar que eu mereço.

Abracei dona Elza do jeito que eu abraçava minha avó, com meu coração cheio de amor por ela. É de uma beleza estonteante ver a lucidez com que algumas pessoas administram sua vida, mantendo clareza e coerência em suas decisões e respeitando profundamente seus próprios valores. Dona Elza é uma dessas pessoas. Ela compreende de forma brutal que temos um tempo finito neste mundo, e que cabe a nós escolher o caminho que desenhará nossa existência. É uma honra sem tamanho conhecer gente assim pelo meu caminho.

Para sempre ao meu lado

E ali estávamos nós duas, sentadas uma em frente à outra, na pequena sala destinada aos familiares de pacientes internados na enfermaria. O dia, claro e tranquilo, permitia-nos até ouvir alguns passarinhos se divertindo no batente da janela. O clima leve e alegre do dia, no entanto, em nada refletia a dor da nossa conversa. Após meses de internação, centenas de exames, tratamentos difíceis e complicados, Edson, o filho mais novo de dona Graça, estava morrendo. Edson tinha um câncer de estômago bem avançado, que tinha obstruído quase por completo a passagem dos alimentos e lhe causava náuseas intensas, soluços contínuos e uma dor persistente na região do tórax. Embora ele mantivesse a alimentação parenteral (administrada através das veias), a evolução da doença era implacável e tinha consumido seu corpo até deixá-lo caquético, com uma fadiga tão intensa que limitava até mesmo atos simples, como ir ao banheiro sozinho. Seu cansaço era visível nas grandes olheiras que se formavam sob seus olhos, os quais um dia já tinham exibido uma vivacidade incomum. A vida dele havia se transformado no oposto do que ele considerava uma vida digna ou minimamente feliz.

Dois dias antes, Edson começara a sentir falta de ar, provavelmente por uma embolia pulmonar, e estava claro que seu tempo entre nós seria breve. Para ele, bastava. Nas muitas conversas que ele tivera com a equipe de saúde, com dona Graça e com o irmão, Edson tinha deixado claro que viver daquela forma era pior que morrer, e que estava pronto para terminar seus dias. Tivera uma vida feliz, e queria partir em paz. Nas últimas horas, Edson só dormia, confortável. Estava esperando seu momento final.

Peguei nas mãos da quase nonagenária dona Graça, apertando seus dedos frios e enrugados. A maquiagem, sempre impecável, hoje estava malfeita. A roupa não tinha o esmero de todos os dias, e seu olhar estava permeado de dúvidas. Perguntei como ela estava. Um pequeno silêncio, um suspiro, e sua voz dolorida: "Com um buraco sem fundo bem no meio do meu peito". Então ela começou a falar pausadamente, como se falasse a si própria. Falou sobre jamais ter se preparado para perder um filho. Sobre como algo assim parecia errado e antinatural, e como não podia imaginar sua vida dali para a frente. Era como se não tivesse sobrado nenhuma razão para continuar viva. Falou sobre a dor infinita por vê-lo ir embora sem que ela pudesse fazer nada para impedir, e sobre não conseguir mais sentir esperança.

Contou sobre a relação dos dois ao longo dos 50 e poucos anos de vida de Edson. A parceria. As palhaçadas. A ajuda que ele costumava dar a quem o procurasse. As bobagens que ele havia feito. Durante sua fala, por alguns milésimos de segundo, era possível enxergar o orgulho que ela tinha do filho em meio à sua dor infinita. Nos olhos, lampejos de gratidão por tê-lo ao seu lado durante todos aqueles anos. Nas palavras, a constatação do preço que nos é cobrado por amarmos profundamente alguém.

Larguei suas mãos e a abracei. Ela me perguntou, frágil como só alguém nessa situação pode ser: "Querida, você já perdeu alguém na vida?" Sim, eu perdera meu pai poucos anos antes. Mas, diante daquela mãe tão sofrida, minha perda parecia tão pequena... Disse a ela que eu não conseguia nem sequer imaginar o tamanho da dor de perder um filho. Já com os olhos molhados, comentei que apenas imaginar minhas filhas indo embora já me enchia de tristeza, e que eu conseguia enxergar o tamanho do seu sofrimento. Embora eu não pudesse sentir o que ela estava sentindo, era capaz de entendê-la. E podia contar a ela como tantas mães que já acompanhei perdendo seus filhos conseguiam lidar com esse vazio infinito dentro do coração.

Não, a dor não vai sumir. Assim como não vão sumir as lembranças, o afeto, o carinho. O que mudará será a forma de lidar com isso, num processo lento e único. Os dias terríveis que se seguem à partida, e que parecem infindáveis. Os pequenos momentos de alegria que vão aparecendo após algum tempo, entre uma lágrima e outra. A surpresa por, de repente, ter um dia bom, e depois outro, depois vários dias bons numa mesma semana. E a dor transformada em saudade, em gratidão, em paz.

Dona Graça apertou minhas mãos, puxando-me num outro abraço. "Como é que vou viver sem ele? Como elas fazem isso?" Eu me lembrei de uma mãe incrível, que alguns meses depois da morte da filha de apenas 19 anos me disse que sua forma de mantê-la sempre por perto era fazer escolhas que a encheriam de orgulho. Era assim que ela prestava, diariamente, homenagens à filha ausente. Era assim que sua filha continuava fazendo parte de sua vida todos os dias. Contei essa história à dona Graça, e vi em seus olhos a pequena esperança cultivada pelas mães de que terão seus filhos sempre perto de si. É, talvez seja assim. Talvez seja possível termos nossos filhos por perto, sem importar onde estejam. Talvez possamos inserir sua alma em nossa vida, em nossos atos, permitindo que eles nos transformem como pessoas mesmo quando não estão ao nosso lado. Não sei. Mas ali, naquela sala, em frente à dona Graça e aos seus olhos doloridos, essa esperança era tudo que nos restara.

Edson faleceu poucas horas após essa conversa, com dona Graça ao seu lado, de mãos dadas com ele.

Salva pelo amor

Lucas Cantadori

Para Jean-Jacques Rousseau, a bondade começa simplesmente evitando-se fazer o mal. Já Martin Luther King se incomodava com o silêncio dos bons e apelava para que os brados de coragem ecoassem no coração daqueles dispostos a mudar o mundo para melhor. Essa história trata de um desses exemplos.

Lúcia tinha 50 anos quando chegou ao pronto-socorro com um quadro grave de insuficiência renal, necessitando de hemodiálise de urgência. Exames subsequentes evidenciaram um raro diagnóstico de leucemia de células plasmocitárias, um tipo extremamente grave de câncer do sangue.

Ela tinha três filhos, com idade entre 25 e 30 anos de idade. Um deles continuava morando com ela. Seu nome era Thiago e muito rapidamente ele se tornou íntimo de toda a equipe médica, pois não saía do lado da mãe nem sequer por um minuto. Nos dias em que Lúcia permaneceu na sala de emergência, Thiago aguardou pacientemente na área de espera, sempre presente em todas as visitas. Quando ela foi finalmente transferida para a ala de enfermaria, ele conseguiu convencer a equipe de enfermagem a deixá-lo permanecer no quarto. Todos os dias ajudava a mãe a se alimentar, tomar banho, se vestir. O marido de Lúcia também estava sempre presente, assim como suas irmãs e seus outros filhos. Durante o horário de visita, a sala de espera fervilhava de familiares disputando uma chance de vê-la.

O tratamento quimioterápico foi intenso, com toxicidade bastante alta. Thiago, sempre alerta, antecipava as necessidades da mãe e acionava a equipe de enfermagem rapidamente a cada intercorrência. E assim os dias foram passando, a tolerância ao tratamento foi aumentando, os exames melhoraram e logo Lúcia pôde voltar pra casa.

Durante as consultas ambulatoriais, Thiago continuava presente e detinha o total controle da situação. Sabia de cabeça o nome e a dosagem de todos os medicamentos da mãe. Foi em uma dessas consultas que eles souberam que a próxima etapa do tratamento envolveria um procedimento chamado transplante autólogo de medula óssea.

A primeira etapa desse tratamento envolve a coleta – pelo sangue – de uma grande quantidade de células-tronco. Depois, essas células são congeladas e o paciente é submetido a um tipo de quimioterapia muito intenso, uma "bomba atômica" contra o câncer, cujo principal efeito colateral é "matar" a medula óssea do paciente e, com ela, todas as células de defesa. De um a dois dias depois, ele recebe as próprias células-tronco novamente e entre dez e 15 dias sua medula óssea volta a funcionar – assim como suas defesas naturais. Durante esse período crítico da internação, o paciente pode depender de múltiplas transfusões de sangue e fica sujeito a infecções graves. Além disso, o tratamento causa náusea, feridas na boca e perda de apetite.

Lúcia foi informada de que durante esse período de internação deveria restringir as visitas ao máximo; a equipe médica permitiria que um familiar ficasse com ela no quarto. Todos nós sabíamos quem seria essa pessoa. E ficamos tranquilos, pois estávamos certos de que Lúcia teria todo o suporte necessário, já que Thiago era um excelente cuidador.

Na mesma semana do diagnóstico de Lúcia, em um consultório médico da mesma cidade, uma mulher chamada Rose recebia uma triste notícia: seu tumor, um tipo raro de linfoma, havia reaparecido depois de cinco anos do tratamento inicial. O tratamento contemplaria alguns ciclos de uma quimioterapia potente, que deveria ser feita com internação hospitalar, seguido de transplante autólogo de medula óssea.

Rose havia se divorciado após um longo período de conflitos com o ex-marido, que era muito agressivo. Tinha três filhos, mas mantinha pouco contato com eles – inclusive, sofria com violência e ameaças do mais velho. Durante os períodos de internação, estava sempre sozinha e nunca recebia visitas. Era uma pessoa doce e tímida. Tinha receio de expor seus sintomas, medos e angústias, e por isso sofria com os efeitos colaterais do tratamento, além de evoluir com várias complicações que teriam sido facilmente eliminadas caso fossem detectadas precocemente.

Estávamos preocupados com a etapa do transplante. Não tínhamos dúvida de que o procedimento seria necessário, porém receávamos pelo fato de a paciente não ter absolutamente nenhum apoio de amigos ou família. Por mais que a equipe médica e de enfermagem fosse capacitada e competente, não podíamos permanecer ao lado dela 24 horas do dia. Quando o momento chegou, nossa enfermaria de transplantes estava cheia. Dessa forma, Rose precisou ser internada em um quarto onde já estava outra paciente. E foi assim que ela conheceu Lúcia.

Assim como Rose, e por mais que tivesse toda a família ao seu redor, Lúcia também era tímida. Em um primeiro momento, as duas quase não conversavam. Todavia, Thiago tinha o poder de quebrar o gelo. Ele havia conseguido autorização para trazer comida para a mãe, a fim de facilitar a aceitação da alimentação. Assim, todas as noites ele mesmo cozinhava. No dia seguinte, ia até o hospital munido de café da manhã, almoço, café da tarde e jantar. Tudo sob medida e do jeito que Lúcia gostava.

Foram necessários apenas dois dias após a internação de Rose para que Thiago passasse a trazer comida para as duas. Além disso, prestava atenção aos sintomas de Rose e acionava a equipe de enfermagem quando necessário. Inúmeras vezes em que entrávamos no quarto, encontrávamos os três rindo e se divertindo. Foi em uma dessas ocasiões que me dei conta de que nunca tinha visto a Rose tão feliz, e isso estava ocorrendo justamente durante a etapa mais dura do seu tratamento.

Os dias foram passando e tudo correu da melhor forma possível. De fato, foram dois dos nossos melhores transplantes até hoje!

(*O médico e o rio*)

Thiago carregava dentro de si as boas coisas, e de si as emanava. Afinal – como disse o próprio Jesus de Nazaré –, ao abrir o coração a boca fala. E foi por isso que não me surpreendi quando soube que ele continuou indo diariamente ao hospital e levando as refeições para Rose até o momento de sua alta – quase dez dias após a saída de Lúcia. Nessa dupla jornada, ele foi o maior responsável pelo sucesso que garantiu a vida das duas. Toda a equipe receava pelo desfecho do transplante de Rose. Resignada, porém não sem medo, ela encarou o desafio. E assim, sem esperar nada de ninguém, foi salva pelo amor.

As coisas que acontecem depois

Alguns anos atrás, um colega cirurgião me fez uma colocação um tanto inquietante. Estávamos conversando sobre as dificuldades de exercer a medicina, com tantos problemas de falta de estrutura, a remuneração muitas vezes inadequada, a expectativa de que médicos tenham poderes quase que divinos, entre outras coisas. Em certo momento, ele disse: "O que me faz seguir adiante é a gratidão dos meus pacientes. Vê-los seguir sua vida, curados, cheios de novos projetos, e tão agradecidos pelo que fiz por eles, vale qualquer dificuldade". Ele então fez uma pausa, como se estivesse escolhendo as palavras, e continuou: "Eu realmente não sei como você consegue fazer o que faz. Tantos pacientes que morrem, que não têm como te agradecer depois... Deve ser desolador pra você".

Tentei iniciar uma argumentação qualquer, mas alguém interrompeu a conversa, deixando-nos nas reticências. Encontrei com meu colega várias vezes depois, mas nunca mais tocamos nesse assunto, e acabei até me esquecendo. Até o dia em que vi Fabiana me esperando na porta do consultório, encostada na parede do corredor. Sua filha, Nina, falecera havia duas semanas, aos 19 anos, por um sarcoma agressivo que começara nas costelas e se espalhara para outros ossos, para o tórax e, finalmente, para o cérebro, não lhe dando chances. Foram quase dois anos de quimioterapia, radioterapia, complicações e muitas limitações. Durante todo o tempo, presenciei uma relação que ia muito além de mãe e filha. A admiração que uma demonstrava pela outra me comovia. A parceria incondicional, o respeito pelos limites físicos e emocionais que se multiplicavam pelos caminhos de ambas, a paciência, o carinho. Eu sabia como elas funcionavam. Sabia quanto eu podia falar quando as notícias eram ruins – e, principalmente, podia comemorar com elas quando conseguíamos um bom resultado.

Cerca de um mês antes, o desafio fora assustador. Nina estava ótima, tolerando bem a quimioterapia e com sinais de melhora da falta de ar, quando teve uma convulsão grave em casa. Chegou ao pronto--socorro desacordada, não respondia a nenhum estímulo e a pressão arterial estava nas alturas. Uma tomografia logo revelou o motivo: metástases cerebrais. E com um grande sangramento associado, com imensas chances de não conseguirmos evitar sequelas neurológicas graves mesmo com a realização de uma cirurgia. Fabiana se desesperou. Embora compreendesse que Nina não gostaria de viver com sequelas que a deixassem totalmente dependente, não conseguia conceber a ideia de que não fizéssemos algo para tentar. Foram horas muito duras para todos nós. Descartada a viabilidade da cirurgia, decidimos iniciar medidas clínicas que a ajudassem. Aos poucos, Nina foi melhorando. Abria os olhos, às vezes murmurava alguma coisa. Mais alguns dias e ela começou a responder a perguntas simples. Um dia, entrei no quarto e ela sorriu, o mesmo sorriso que a acompanhava nas consultas do ambulatório. Fabiana, incansável, não saía do lado dela. No rosto, somente alívio. Nas palavras, ela contava como tinham sido aqueles dias tétricos, e seu desespero por sentir que ainda não era o momento de a filha ir embora. A angústia de tentar fazer que as pessoas compreendessem isso, e o alento quando decidimos todos juntos o que seria feito, levando em conta a percepção dela.

Nina estava relativamente bem, 15 dias já haviam se passado desde aquele dia tenebroso do pronto-socorro. Era início da madrugada, e as duas estavam acordadas, em silêncio, no quarto escuro. Nina chamou pela mãe. Perguntou se ela ficaria ali, pediu que lhe desse a mão. Perguntou se poderia dormir. Algo na voz de Nina tocou o coração de Fabiana. Ela não conseguia mais dormir, e continuou ali ao lado, de mãos dadas com a filha. Algumas horas depois, Fabiana estranhou a respiração dela e chamou a enfermeira. Nina tinha partido. Assim, dormindo, sem desespero, sem sofrimento.

Fiquei sabendo no dia seguinte. Uma notícia que entristeceu minha alma. Eu pensava na vida da Fabiana dali para a frente. No vazio, na tristeza, na dor. Tentei ligar para ela, mas não consegui. Numa oração, torci para que ela ficasse bem, que pudesse seguir em frente. Não tive mais notícias dela até o dia em que ela surgiu no ambulatório. Sorriu ao me ver abrir a porta, começou a chorar. Apertei-a num grande abraço, com aquela vontade de pegar para mim pelo menos um pouquinho da sua dor. No meio do abraço, ela disse que tinha vindo agradecer. Pelo carinho, pelo respeito, por estar por perto, por entendê-las, e por permitir que Nina fosse embora do jeito que era para ser. Disse que, apesar da tristeza, seu coração estava em paz, e que se sentia uma mulher de muita sorte por todas as bênçãos que recebera em seu caminho. Chorei e sorri com ela, ali no meio do corredor, lembrando-me do jeito brincalhão da Nina e de tantas outras coisas boas que ela deixara nas nossas lembranças.

Depois que ela foi embora, veio-me à mente a colocação do meu colega, anos atrás. Eu jamais poderia explicar a ele, nem naquele momento nem hoje, quanto um agradecimento como o da Fabiana pode nos transformar, não apenas como médicos, mas também como pessoas. Eu não conseguiria explicar o valor da gratidão quando as coisas deram errado, quando o sofrimento foi imenso, quando a dor não cabia no peito. Mais que isso: eu não saberia quantificar o sentimento de saber que pude ajudar, mesmo que a própria pessoa não estivesse ali para agradecer.

Os médicos podem receber de volta muito mais do que deram. Nem sempre conseguimos resolver as coisas, e às vezes nem mesmo podemos melhorá-las. Há situações em que nosso conhecimento médico vale quase nada, e tudo de que dispomos é nosso conhecimento humano. É precisamente nesses momentos em que não é preciso ouvir "Obrigado". Basta saber quanto somos parte de algo muito maior que nós mesmos, e quanto podemos ser instrumentos de alívio e amor na vida das pessoas. É esse o sentimento que realmente nos motiva, nos impulsiona, nos faz seguir adiante. Às vezes, basta estar lá.

Como coar o café

Dona Selma vem me ver a cada quatro meses. Desde seu diagnóstico oncológico (um câncer de intestino localizado, tratado com cirurgia há pouco mais de três anos), ela nunca perdeu uma consulta ou exame. Aos 67 anos, com uma boa saúde, parece sempre feliz e tranquila. Dona Selma é a típica paciente cuja consulta parece sempre curta demais, mesmo que fiquemos conversando por quase uma hora. Suas perguntas são intermináveis, mas muito poucas delas são sobre sua saúde. O que a interessa mesmo é saber sobre a vida das pessoas, inclusive a minha. Antes que alguém levante a mão e comente quanto dona Selma é mexeriqueira, já aviso: não é. E posso afirmar isso com convicção. Ao contrário: ela pouco quer saber sobre fatos, comentários ou tragédias. O que a encanta são os sentimentos, e a forma como nós, humanos, lidamos com eles.

Foi numa dessas conversas quase filosóficas que surgiu o assunto de como é complexo manter nossos relacionamentos saudáveis. Ela própria tinha vivenciado um casamento muito infeliz, que culminou num divórcio litigioso traumático e lhe custou anos para superar. Falamos sobre a dolorosa mágoa quando alguém nos decepciona e sobre o impacto que isso pode ter em nossa vida, incluindo nossa saúde. Foi aí que dona Selma revelou o que vinha guardando para si nesses anos todos: ela achava que seu câncer tinha surgido da mágoa que tinha do ex-marido. Achar, aliás, era pouco: ela tinha certeza absoluta disso. Contou sobre os anos de convívio turbulento entre eles, com a descoberta de relacionamentos extraconjugais e outras deslealdades, e de como, aos poucos, ela só conseguia enxergá-lo como uma pessoa miserável e cruel, até reduzi-lo a um monstro que dilapidava sua vida. Pediu o divórcio (que ele aceitou imediatamente), mas o processo todo levou anos a ser concluído, devido aos ressentimentos de ambos os lados que os impeliam a não facilitar as coisas um para o outro. Algum tempo depois do processo de divórcio, dona Selma descobriu o câncer.

Nessa época, já não vivia com o ex-marido havia quase seis anos, e muitas das emoções que tomaram conta deles já tinham esmaecido no tempo. Foi no seu momento de maior solidão que dona Selma se surpreendeu ao receber o telefonema dele, colocando-se à disposição para levá-la às sessões de quimioterapia. Sem filhos e sem outras opções para ampará-la, ela acabou aceitando a ajuda. A cada 15 dias, ele a trazia para receber o tratamento, aguardava na sala de espera e a levava de volta para casa. Às vezes, levava sopa ou sanduíches para ela comer à noite, caso as náuseas permitissem. O mais espantoso foi que, durante todos os meses de quimioterapia (e mesmo depois, nas consultas de rotina), eu nunca o vi e nem sequer imaginava que ele estava dando esse suporte à dona Selma. Ele sempre mantinha uma distância respeitosa da vida dela. Não entrava nas consultas médicas, não lhe fazia perguntas mais específicas do que "Qual a data da próxima quimioterapia?" ou "Você precisa de mais alguma ajuda?". Foi assim que, no decorrer do tratamento, eles aprenderam a se relacionar de outra forma, deixando as mágoas se dissiparem. Ela se lembra dessa época como "terapêutica", porque arrancou dela a tóxica sensação de ressentimento que controlava sua vida. Não chegaram a se tornar bons amigos, muito menos a reatar o relacionamento, mas passaram a conviver de forma harmoniosa e respeitosa, o que trouxe benefícios para os dois.

Eu olhei para ela, espantada. Era admirável ver alguém superar tantas mágoas e reaprender a enxergar o outro. Ela sorriu, do jeito tranquilo dela, e perguntou: "Doutora, você sabe coar café?" Não entendi. Coar café? Do que estamos falando aqui? Ela continuou: "Sabe, querida, demorei pra perceber que manter os relacionamentos é muito parecido com coar um bom café. A gente precisa aprender a deixar passar só o que é bom, só o que nos aquece o coração. A borra a gente deixa presa no coador e joga fora. Todo mundo tem potencial pra nos brindar com um bom café, mas todo bom café tem borra pra jogar no lixo". Rimos juntas, ela tinha sido genial! Pensei em quanto precisamos ajustar nosso coador no decorrer da vida. Em quanto "coamos" demais ou de menos as pessoas que encontramos pelo caminho, e em quanto desperdiçamos bons cafés porque ficamos com raiva, nojo ou preguiça de lidar com a borra. Dona Selma, com seu cafezinho coado, estava me ensinando sobre tolerância e falando sobre o grande esforço necessário para não deixarmos nossos critérios tão restritos, tão apertados, que não passe nem água limpa por eles. Ela me falava sobre sabedoria, aquela que não permite que aquilo que não nos serve contamine nossa vida, mas reconhece o que nos faz bem e "deixa passar". Foi assim, ensinando-me a coar café, que dona Selma ganhou minha admiração para sempre.

A reza

Era um final de tarde silencioso. Daqueles em que escutamos o farfalhar das folhas das árvores na janela, enquanto o céu anoitece cheio de preguiça. Nesses dias, mesmo dentro dos corredores do hospital, o mundo parece girar mais devagar. Até os ruídos rotineiros – como carrinhos de medicação atravessando o corredor, o falatório das enfermeiras passando o plantão ou os alarmes de algum aparelho – parecem estar com o volume respeitosamente reduzido. Como se o mundo todo estivesse cochichando para não acordar quem está dormindo.

Apesar da calma aparente que pairava no ar, meu coração não estava tranquilo. Aos 38 anos, Bárbara se despedia. O câncer de mama, diagnosticado pouco mais de um ano antes, tinha comprometido seus pulmões e seu cérebro, limitando sua vida de forma cruel. Bárbara tomava uma infinidade de remédios para controlar as dores de cabeça, as convulsões, o desconforto no estômago, o inchaço. Não conseguia mais andar sozinha, nem engolir os comprimidos adequadamente. Precisava da ajuda do marido, da mãe e das duas filhas para tudo, da alimentação ao banho, dos remédios à mudança de posição. Havia três dias a falta de ar vinha piorando muito, com febre e secreção pulmonar, e, apesar dos esforços da família nos cuidados, Bárbara precisou ser internada. Foram iniciados antibióticos e todas as medidas possíveis para aliviar os sintomas, mas seu desconforto era tamanho que ela precisou ser sedada. Era essa Bárbara, dormindo sob efeito dos sedativos e prestes a se despedir de todos, que eu estava indo visitar, com o coração cheio de angústia e compaixão.

A porta do quarto estava encostada, deixando apenas uma fresta, suficiente para que eu visse Bárbara deitada, imóvel, em seu sono profundo, e o marido, Valter, sentado ao seu lado. Uma das mãos dele descansava sobre as mãos dela. A outra segurava uma Bíblia, com as páginas envelhecidas e o título dourado da capa já descascado. Seus olhos estavam fechados, seus lábios murmuravam uma prece. Sua concentração era tamanha que ele não percebeu minha presença. Continuava rezando, acariciando as mãos da esposa de quando em vez, pendendo a cabeça para a frente nos momentos de maior comoção. Fiquei ali observando seu ato de fé por um bom tempo. Não queria entrar no quarto e interromper um momento tão íntimo, mas também não queria sair dali. Era como se a prece dele envolvesse todo mundo ao seu redor. Como se as palavras que saíam da sua boca anulassem a dor daquela situação. Alguns minutos depois, ele terminou a prece, com um agradecimento a Deus e um beijo nas mãos de Bárbara. Sorriu quando me viu na porta, fazendo sinal para que eu entrasse.

Perguntei se eu estava atrapalhando, ele disse que não, que estava tudo bem. Examinei a Bárbara, tranquila, adormecida. Sentei-me então com Valter para saber como ele estava, perguntei pelo que estava rezando. Ele sorriu. "Por ela, doutora. Eu só rezo por ela." Perguntei se ele estava pedindo alguma coisa em especial. "Eu sempre peço pela cura, doutora, mas sei que Deus é quem sabe. Se Ele estiver precisando mais dela lá do que eu preciso dela aqui, não posso mudar isso." Um silêncio triste tomou conta de nós dois. Olhamos para ela, inconsciente, como se esperássemos que ela própria nos desse essas respostas. Peguei nas mãos dele, e ele novamente sorriu, devagar, meio trêmulo: "Eu preciso muito dela comigo, doutora, a senhora nem imagina quanto. Minhas filhas também. Mas tenho fé que Deus nunca está errado. Vai dar tudo certo". Concordei com ele. Tudo sempre dá certo, mesmo quando parece que está tudo errado. Fiquei ali com ele algum tempo, com longos silêncios e algumas lágrimas. Não havia angústia ali dentro. Não havia medo, não havia escuridão. O que eu via era a grande tristeza de um homem se vendo obrigado a se despedir da esposa, que lutava para aceitar a própria impotência, confiando seu destino (e o dela) a algo tão maior que não podia ser compreendido, nem sequer questionado. A simplicidade dele, as palavras simples, a atitude humilde diante da imensidão da vida... e da morte.

Quando saí do quarto, a noite havia chegado. Continuava lenta, preguiçosa, silenciosa. Meus pensamentos vagavam pela imagem de Valter rezando, sua crença em pertencer a um Reino cuja compreensão lhe fugia, sua resignação, seu amor pela esposa. São poucas as belezas humanas que me comovem tanto quanto a fé. Eu, médica e, portanto, uma mulher da ciência, fui treinada para duvidar, para comprovar teorias e estabelecer o que é certo e o que é errado. Fui capacitada para analisar evidências e buscar resultados corretos. E aí deparo, em tantos momentos da minha vida, com a tal da fé. A fé não tem evidências científicas. Não existe, por trás dela, a enormidade de estudos científicos, teorias, análises e discussões que me são tão familiares. A fé simplesmente brota no coração das pessoas e se instala por ali mesmo, envolvendo a vida delas. Faz que acreditemos no incompreensível e nos dá a sensação de pertencimento que nos acolhe e conforta. A fé alivia o que a medicina é incapaz de aliviar.

Fui andando lentamente pelo corredor em direção à saída. Podia ouvir meus próprios passos, devagar, durante todo o trajeto. A enfermaria, sempre tão ruidosa, hoje estava serena. O mundo estava deixando Bárbara dormir.

A dor que vive por trás da dor

Anésia tem 60 anos e trabalha como faxineira desde a adolescência. Há pouco mais de um ano recebeu o diagnóstico de um câncer de mama inicial, cujo tratamento indicado foi a combinação de cirurgia, radioterapia e hormonioterapia. Ela vinha se adaptando muito bem à medicação e aquele já era seu quarto retorno comigo. Desde a primeira consulta, Anésia me dava a impressão de ser uma mulher forte. Trabalhava muito e quase sem descanso, e com o fruto desse trabalho conseguira criar a filha, hoje com 32 anos e formada professora. O marido falecera havia mais de uma década, depois de um longo tempo acamado em consequência de um acidente vascular cerebral grave. Anésia era, sem dúvida, uma dessa mulheres cuja resiliência e coragem inspiram as pessoas ao seu redor.

Mas, naquele dia, ela estava diferente. Já na entrada do consultório percebi o sorriso mais contido, quase por obrigação. Ela se sentou na ponta da cadeira, os joelhos colados um ao outro, as mãos entrelaçadas entre as coxas. Perguntei como estava, se vinha sentindo alguma coisa diferente.

— Continuo com aquela dor nas costas de sempre, doutora, mas está bem pior há uns dois meses. Os ombros também doem, está difícil até pra trabalhar.

Estranhei. Anésia tinha uma artrose grave na coluna e nos ombros, resultante do trabalho como faxineira, e estava muito acostumada com essas dores. Tão acostumada que nunca chegava a reclamar delas, apenas citava sua existência. Meu cérebro de oncologista imediatamente pensou no pior: podem ser metástases nos ossos... Perguntei se ela tinha consultado outro médico por causa da piora das dores. Anésia fora a dois ortopedistas e a um neurocirurgião. Fizera radiografias, uma cintilografia óssea e uma ressonância magnética. Os três colegas diagnosticaram artrose severa. Um deles prescreveu anti-inflamatórios, com pouca melhora. Outro indicou uma cirurgia nos joelhos, pois segundo ele sua postura estava prejudicando a coluna. O terceiro indicou a colocação de hastes em sua coluna que minimizariam a dor. Vi todos os exames. Estavam idênticos aos feitos pouco mais de um ano antes, na época do diagnóstico do câncer. Mas o alívio por descartar a possibilidade de metástases logo passou. A sensação de que alguma coisa estava errada continuava a me incomodar.

— Anésia, aconteceu alguma coisa diferente nesses últimos meses? Algum acidente? Algum outro problema sério? Você parece mais tensa, mais triste.

Minha pergunta pareceu abrir as comportas de uma represa. Anésia começou a chorar imediatamente. Sentei-me ao lado dela e a ouvi contar, entre lágrimas e alguns soluços, sobre a morte súbita do irmão, ocorrida havia pouco mais de dois meses. Ela era muito próxima dele, considerando-o seu melhor amigo. Embora o irmão já estivesse doente havia alguns anos, com uma insuficiência cardíaca grave e complicações do diabetes, o choque de saber que ele tinha sido encaminhado às pressas para a UTI tinha sido demais para Anésia. Ela ficou tão nervosa que não conseguira ir ao hospital, decidindo esperar para vê-lo quando já estivesse no quarto. Mas ele nunca saiu da UTI. Dois dias depois da internação, seu irmão faleceu sem ninguém da família por perto. Com a morte dele, dona Inácia, mãe de Anésia, foi morar com ela, o que mudou drasticamente sua vida. Dona Inácia tinha insuficiência renal crônica e precisava fazer hemodiálise três vezes por semana, o que significava que Anésia perderia três dias de trabalho para acompanhá-la. Mesmo nos outros dias, o número de tarefas que ela precisava desempenhar aumentou tanto que seus dias pareciam ter apenas poucas horas. E Anésia se torturava. Por não estar ao lado do irmão em seu leito de morte. Por ficar irritada com a mãe e com toda a sobrecarga que viera junto com ela. Por se sentir tão fragilizada e incapaz. As dores na coluna só aumentavam seu sofrimento. Não conseguia dormir à noite, mesmo morta de cansada, e não tinha mais apetite, o que levou à perda de quatro quilos. Ela não mais reconhecia a si mesma.

Olhei para ela, meu coração cheio de compaixão. Agora Anésia fazia sentido para mim. Ela estava de luto, e um mundo vinha esmagando seus ombros. Imaginei suas noites em claro, sua imensa solidão, as saudades do irmão e confidente. Imaginei as contas a pagar se acumulando na mesa, e a irritação com o despertador tocando bem cedo para levar a mãe ao hospital. Anésia continuava sendo a mesma mulher forte e resistente de sempre, mas encontrara seus limites. As dores na coluna eram apenas o reflexo da dor na sua alma.

Há um bom tempo aprendi que a dor da alma não pode ser aliviada com medicamentos, muito menos com cirurgias. Ela precisa de tempo e de apoio. Demanda compreensão e paciência. E, claro, ouvidos disponíveis. Um diagnóstico difícil para os médicos, mas bem fácil para qualquer ser humano que se permita entrar em contato com o outro. Respirei fundo e dei um grande abraço nela. Pensei em como nós, médicos do corpo, somos pouco capazes para lidar com as dores da alma. Quantos remédios, procedimentos, cirurgias e exames são prescritos por nós, com a melhor das intenções, mas totalmente ineficazes e até prejudiciais... Anésia não precisava de um médico. Ela precisava de carinho. No meio de toda aquela dor borbulhando pelos seus olhos, eu só conseguia lhe dizer: "Vai passar".

Contei à Anésia o que eu sabia sobre o luto, sobre as diversas formas de lidarmos com ele, sobre como pedir ajuda é importante. Conversamos sobre como a vida pode ser difícil às vezes, mas que ainda assim valia a pena. Indiquei uma colega psicóloga com larga experiência com o luto e prescrevi uma medicação que ajudaria na dor e no sono. Pedi ainda a ajuda da assistente social e agendei um retorno bem mais próximo que o habitual. No final da consulta, nós duas já de pé, perto da porta, outro abraço apertado, dessa vez sem lágrimas, e com um grande suspiro de alívio (de nós duas). Anésia repetiu minhas palavras, agora já sorrindo um pouco: "Vai passar". Depois que ela saiu, precisei de alguns minutos para me recompor. Nesses momentos, sempre penso na grandiosidade dos psicólogos e assistentes sociais, e na quantidade de sofrimento que eles presenciam e ajudam a conduzir. É doloroso expor-se ao sofrimento alheio, e é quase divino conseguir ajudar a aliviar o sofrimento sem tomá-lo para si, como os bons profissionais fazem. A mim, médica, cabe diagnosticar o sofrer que não é do corpo para que minhas mãos não façam bobagens. Cabe a mim reconhecer os meus limites e conduzir o paciente a quem possa ajudá-lo mais que eu. E, acima de tudo, cabe-me cultivar a imensa gratidão pelo aprendizado com cada uma dessas pessoas, que me permitem entender como minha vida é abençoada.

Por onde andam seus olhos que a gente não vê?

Conheço dona Tarsila há uns bons quatro ou cinco anos. Com pouco mais de 70 anos, ela é a típica senhora rechonchuda, com problemas sérios de artrose nos joelhos e na coluna, além de vários dos outros problemas que a obesidade costuma trazer de brinde: hipertensão, diabetes, problemas cardíacos. Quando foi diagnosticada com câncer de mama, não parecia assustada. Veio ao consultório acompanhada do marido, seu Adalberto, com quem é casada há mais de 50 anos. Em todas as consultas, dona Tarsila era educadíssima, polida, e fazia questão de demonstrar sua gratidão trazendo pequenos presentinhos para mim e para minha secretária. Panos de prato, brincos, doces, e por aí vai. Mesmo durante a quimioterapia, quando ela ficou mais debilitada, era difícil surpreendê-la sem um sorriso no rosto, mesmo que fosse discreto. Seu Adalberto, mais extrovertido e animado, costumava falar mais que ela nas consultas, mas era bastante óbvio seu respeito pela esposa. Os dois pareciam funcionar como uma orquestra. Ela mantinha silêncio enquanto ele falava, mas bastava que seus dedinhos gorduchos tocassem no joelho dele para que ele compreendesse que ela queria dizer algo, e então seu Adalberto se calava, passando a palavra à esposa. Mesmo assim, em alguns momentos, o olhar dela parecia fugir do meu. Eram segundos quase imperceptíveis, mas estavam lá. Em meio às frases educadas e até divertidas, entre as palavras doces dela, os lampejos cinzentos sempre apareciam.

    O tempo passou, o tratamento inicial foi concluído, assim como a radioterapia, e dona Tarsila iniciou a hormonioterapia, o que exigia menos consultas médicas e menos exames. Estava tudo realmente indo muito bem. E justamente por isso eu não conseguia compreender meu desconforto crescente nas consultas. Eu tinha a sensação de que alguma coisa não estava bem com ela. Não havia nenhuma queixa nova, os exames de rotina estavam em ordem, mas ainda assim eu me sentia desconfortável. Algo que eu não conseguia explicar, certa tristeza ao olhar para ela. Eu percebia seus olhos mais distantes, quase indiferentes, e seus sorrisos pareciam não ter a mesma cor. Os lampejos cinzentos que eu captava em seus olhos pareciam mais frequentes e nítidos. Perguntei algumas vezes se estava tudo bem, se algo a estava preocupando, mas nada. Numa das consultas, fiquei particularmente desconfortável. Pedi que ela retornasse um pouco antes do habitual, e dessa vez ela veio com piora da dor nas costas. Logo foi diagnosticada a recidiva do tumor na coluna vertebral, o que exigia mudanças no tratamento e, principalmente, no prognóstico dela. Quando contei à dona Tarsila o resultado dos exames, ela novamente não se assustou. Na verdade, parecia até um pouco aliviada. Disse que já esperava que algo assim pudesse acontecer, que a vida era assim mesmo, e que ficamos por aqui apenas durante o tempo que Deus quer. Assim, sem desespero, sem angústias, sem medo. Tratava-se de uma mulher absolutamente conformada com seu destino.

  Mudamos o tratamento, fizemos radioterapia da coluna, seus exames mostravam melhora, mas o olhar de dona Tarsila não era mais o mesmo. Alguns meses se passaram até que conheci uma amiga próxima dela, que acabou por me contar o que aqueles olhos escondiam. Dona Tarsila vinha de uma família de muitas posses, e havia algum tempo ela e o marido tinham perdido praticamente todos os bens numa disputa judicial. Precisaram vender a casa onde moravam e se mudar para um imóvel bem mais modesto, e embora tivessem uma renda razoável sua vida era bem diferente daquela à qual estavam acostumados. Os três filhos, envolvidos na disputa judicial, praticamente não se falavam, e pouco entravam em contato com os pais. Um deles, na verdade, não entrava em contato nunca. Na época do diagnóstico do câncer de mama, essa situação ficara ainda mais tensa, com acusações de culpa e agressões verbais que em nada combinavam com o jeito educado e tranquilo de dona Tarsila. Enquanto eu ouvia a história, podia vê-la observando sua família, com a sensação de ter fracassado, sentindo a tristeza profunda das mães que perdem os filhos pelo caminho. Há um bom tempo aprendi que não é preciso ter um filho morto para perdê-lo. Entendi de onde vinha aquela tristeza. Uma tristeza tão grande que roubava sua vontade de viver.

Já estive com ela e seu Adalberto várias vezes depois dessa conversa com a amiga. Tentei alguns caminhos que me permitissem ajudá-la de alguma forma, encaminhando-a a um psicólogo ou conversando com os filhos, ou apenas ouvindo sua história. Nada. Dona Tarsila me olha, sorri tristemente agradecida, quase dizendo: "Não se preocupe comigo, estou pronta para partir há muito tempo". No final das consultas, ela sempre beija minhas mãos. Às vezes, me chama de filha. Numa dessas vezes, me deu um abraço tão intenso que me fez chorar. Quanta solidão dentro dela... uma solidão tão grande, tão antiga e tão profunda que parecia não ter mais volta. Uma tristeza tão imensa que uma doença como o câncer chegava a parecer um alívio.

Dona Tarsila me faz pensar na bagagem que carregamos. No peso que colocamos sobre os ombros quando acolhemos mágoas e rancores. Na sobrecarga que acumulamos quando não nos permitimos seguir outro caminho, quando insistimos em manter a dor perto de nós. Mas, sobretudo, em como acumulamos culpas que não são nossas, responsabilidades que não temos, insucessos que não nos pertencem. Ainda que os erros, irresponsabilidades e insucessos sejam de pessoas que amamos profundamente (como filhos, irmãos, amigos queridos), não nos pertencem, e não deveriam ser incorporados à nossa bagagem já tão difícil de carregar. Mas o fato é que falar é muito fácil: tirar esse peso dos ombros é outra história. O que me cabe, no que diz respeito aos olhinhos ausentes da dona Tarsila, é manter os braços sempre abertos, os ouvidos sempre atentos e o coração à disposição.

Coragem

Na época em que conheci Sílvia, ela tinha 36 anos. Fisioterapeuta, com uma saúde invejável, estava amamentando seu segundo filho, Caio, então com 6 meses. Quando começou a sentir um desconforto no abdome, achou que fosse algo relacionado com a mudança da alimentação e não deu muita importância. Além disso, os cuidados com um bebê tão pequeno e toda a atenção que tinha de dar à filha mais velha (Manu, 4 anos) tornavam o agendamento de uma consulta com o médico uma verdadeira empreitada. Mas o desconforto aumentou, tornou-se doloroso e o funcionamento intestinal passou a ser mais difícil que o habitual. Sílvia finalmente marcou consulta com um gastroenterologista. Os exames de investigação logo mostraram um tumor intestinal, e ela foi rapidamente encaminhada a um cirurgião. A cirurgia foi marcada em poucos dias e Sílvia teve ótima recuperação, recebendo alta dois dias depois (para a alegria da Manu e do Caio).

Mais alguns dias se passaram até o retorno com o cirurgião para a retirada dos pontos, quando o colega a encaminhou aos meus cuidados para complementar o tratamento com quimioterapia. Quando passei pela sala de espera, antes de consultá-la, Sílvia já me chamou a atenção. Estava acompanhada do marido, os dois abraçados com o Caio no colo, encantados com o bebê. Ela estava tão bem que eu nem imaginava que a atenderia em breve. Mal acreditei quando li o encaminhamento do cirurgião. Ele descrevia uma verdadeira catástrofe: a lesão intestinal era tão avançada que não fora possível removê-la, e a tomografia revelava inúmeros nódulos metastáticos no fígado dela (o que significava um prognóstico bastante desanimador). Durante a cirurgia, só fora possível fazer uma biópsia das lesões do fígado. Senti meu coração acelerando, e confesso que tive uma tremenda vontade de ir embora sem vê-la. Mas é justamente nessas horas que alguma força maior deve agir sobre os médicos e os impede de seguir seus impulsos... Respirei bem fundo, pedi ajuda divina e chamei Sílvia.

Ela e o marido entraram sorrindo, apresentaram-me ao Caio e começaram a me contar a sua versão da história. Sílvia falou sobre o desconforto no abdome, sobre as evacuações mais difíceis (que ainda não tinham melhorado, mesmo após a cirurgia) e sobre a perda de peso recente. Contou que se sentia sem apetite, mas achava isso normal por causa da cirurgia. Quando perguntei o que o cirurgião tinha lhe explicado, ela foi bastante clara: "Ele disse que era um câncer no intestino, que estava grande e por isso a cirurgia tinha sido difícil, e que eu estou com alguns pequenos nódulos no fígado que ele vai deixar para operar depois da quimioterapia, quando também vamos colocar a bolsinha da colostomia para dentro. Assim eu me recuperarei mais facilmente". Olhei para ela sem saber que reação expressar.

Sílvia não fazia ideia da gravidade da situação. Talvez não tivesse compreendido bem o que fora explicado, ou simplesmente não quisesse acreditar. Mas ela parecia tão tranquila! Não havia nenhum sinal de dúvida em sua voz. O marido, André, confirmou a versão dela, e ficou claro que o colega cirurgião tinha dado a entender que tudo estava realmente indo bem. Infelizmente, esse tipo de situação não é tão infrequente assim. Diante de casos muito graves, principalmente em pacientes jovens (especialmente quando há filhos pequenos envolvidos), os médicos por vezes recuam. É difícil resistir à tentação de usar termos que permitam uma dupla interpretação, como "a cirurgia correu bem" ou "minha parte está terminada, agora é só fazer a quimioterapia". Olhando os dois sentados à minha frente, com o bebê aconchegado em seus braços, tive a mesma vontade do colega. De verdade. Por muito pouco não segui o mesmo caminho, abrindo um largo sorriso e confirmando que a quimioterapia complementaria o tratamento, resultando na cura da doença. Mas havia algum tempo eu aprendera que esse tipo de mentira caridosa, embora adie o sofrimento, pode multiplicá-lo (muitas vezes) no futuro. É impossível esconder a gravidade de uma doença como um câncer tão avançado por muito tempo. A dor, a falta de apetite, a perda de peso e tantos outros sintomas que podem acompanhar a evolução do quadro acabam por denunciar a mentira, dando espaço a uma tremenda sensação de solidão, de não se ter em quem confiar. Além disso, não é justo. Não é justo privar o paciente de decidir como quer viver sua vida. Não é justo iludi-lo a ponto de impedir que ele tome decisões importantes, que priorize o que realmente tem valor em sua vida, que invista seu tempo no que realmente faz sentido para ele. Lembrei-me de uma frase que sempre me acompanha nesses momentos: "É preciso ter coragem para começar uma conversa que realmente valha a pena". E comecei a falar.

Expliquei o que vi nos exames. Mostrei as tomografias. Traduzi as explicações dadas pelo cirurgião. Voltei para os exames, correlacionando cada achado com os sintomas que Sílvia vinha apresentando. Cada informação me doía nos lábios. Cada palavra era escolhida com cuidado. Para cada má notícia havia um intervalo em silêncio. Eu podia sentir a tensão crescente dos dois, tentando absorver tudo aquilo e criar um plano de emergência. Suas poucas perguntas giravam em torno da incredulidade: "Mas o médico não disse nada disso... Você tem certeza? Por que ele não me falou nada?" Em determinado momento, achei que tínhamos chegado ao limite. Eu já expusera todos os pontos importantes ligados à extensão da doença, e ainda não começara a falar sobre o tratamento, mas Sílvia estava tão transtornada que eu não via como continuar. Ela chorava, abraçada ao bebê e ao marido. Levantei-me da cadeira e fui me sentar ao lado dela. Sugeri que conversássemos sobre o tratamento em outro momento, para que ela tivesse tempo de digerir tudo que havíamos conversado. Combinamos que eles voltariam em dois dias e me despedi. Fechei a porta e comecei a chorar. Coragem é muito pouco para ter uma conversa dessas. É preciso bem mais que isso...

Os dois dias se passaram e Sílvia e André vieram para nossa nova conversa. Embora ainda um pouco tensos, não havia neles nem sombra de desespero ou frustração. Logo no início da consulta me mostraram sua lista de perguntas, feita depois de uma longa busca pela internet, e fomos esclarecendo todos os pontos juntos, destrinchando os detalhes do tratamento, os efeitos colaterais, as possibilidades de melhora. Sílvia tinha outro olhar nesse dia, um olhar que reconheço de longe. Era o olhar das mães que decidem lutar em nome dos filhos. Ela sabia quanto Caio e Manu precisavam dela, sabia que não tinha o direito de fraquejar. Não chorou em nenhum momento. Não desviava o olhar, sua voz não tremia. E, mesmo assim, ela mantinha sua doçura, exatamente como as mães sabem fazer. A coragem, nesse dia, era toda dela.

Foi um longo caminho juntas, quase quatro anos de tratamento. Sílvia melhorou muito com a quimioterapia. As lesões do fígado se reduziram em mais de 80%, bem como a lesão do intestino. Ela se sentia muito melhor e conseguia manter a maioria das suas atividades. Mas, com o decorrer do tempo, sempre havia uma recaída, uma mudança no tratamento, um novo rumo a ser tomado. Ela estava quase sempre animada e confiante. Buscava tratamentos alternativos, mantinha atividades físicas sempre que conseguia e fazia questão de tomar as rédeas do tratamento, participando de todas as decisões. Cerca de dois anos após o diagnóstico, ela passava por um momento particularmente bom. A doença estava estabilizada havia um bom tempo; ela se sentia muito bem, e revelou seu imenso desejo de uma nova cirurgia para fechar a colostomia. A bolsinha a impedia de entrar na piscina com as crianças e a constrangia no dia a dia. Marcou uma nova consulta com o cirurgião (outro) e, apesar das controvérsias de uma estratégia como essa, decidiu correr o risco em nome de ter uma vida mais digna. A cirurgia foi ótima, o tumor intestinal foi ressecado e a bolsinha, retirada. Poucas vezes vi Sílvia tão feliz! Mas seus momentos de medo e angústia nunca deixaram de existir. Alguns dias, sobretudo quando André não a acompanhava, ela expunha seu receio quanto ao futuro das crianças. Disse que, às vezes, acordava à noite e ia espiá-las dormindo, tentando se convencer de que ficariam bem se ela não estivesse lá. Às vezes ela chorava, pedia que eu não a deixasse sozinha e dizia que tinha muito medo de deixar a família. Eram conversas dolorosas para nós duas. Em algumas delas chorei também. Mas Sílvia sempre se recuperava, juntava forças e terminava nossos encontros com sua frase preferida: "Dá tudo certo, até quando não dá certo".

Algum tempo depois que Sílvia faleceu, André veio me procurar. Contou que eles tinham organizado toda a vida das crianças até a adolescência. Falou sobre os momentos difíceis no final, quando ela já não era capaz de sair da cama e nem mesmo falar, e de como era imenso o vazio que ela deixara. Agradeceu o apoio de todos aqueles anos, e disse tantas coisas bonitas sobre a Sílvia que seria impossível descrever. Mas algo em especial me marcou: quando ele agradeceu por aquelas primeiras conversas que tivemos, quatro anos antes. André contou como tinha sido difícil sair do consultório naqueles dias. Falou sobre as pernas bambas, a boca seca, a sensação de atordoamento, como se o ar lhes faltasse. E, ainda assim, se lembrava daqueles dias com um grande alívio. Foi a partir dali que se estabeleceu a relação de confiança que permeou cada momento da nossa história juntos e ditou a forma como Sílvia passou a conduzir sua vida. Meu alívio, ao ouvi-lo, foi ainda maior.

Ainda hoje me lembro deles com frequência. Penso na imensa responsabilidade que temos na construção de uma relação de parceria com os pacientes e com as famílias. Penso em como é preciso aprender sobre a melhor forma de nos comunicarmos, sobre as reações humanas, e sobre como lidamos com elas. Quanto de nós deixamos nos pacientes? Mais importante ainda: quanto deles fica em nós? É impossível mensurar algo tão delicado quanto a troca de "humanidades" entre as pessoas, mas nem tudo precisa ser medido. Certas coisas precisam apenas ser percebidas, exatamente como a brisa no rosto ou o calor do sol. Exatamente como os laços sagrados de confiança que se estabelecem entre as pessoas, particularmente entre aquelas que têm coragem suficiente para isso.

Nós que temos e podemos

Lucas Cantadori

Não é nada fácil abdicar do tempo com a família para trabalhar por longos períodos. Isso é especialmente válido – e mais doloroso – aos finais de semana. Durante esses períodos em que estou encarregado de zelar pelos pacientes internados, costumo acordar bem cedo para otimizar meu dia. Por volta das cinco da manhã de sábado já estou em pé. Saio no frio da madrugada para ver meus pacientes, muitas vezes sem disposição para um café da manhã. Por volta das 10 horas, já terminando a primeira etapa do dia, a sede me desperta para o fato de ainda estar em jejum. Após um copo de água fresca, vem a fome. A vontade de voltar para casa aumenta.

Na maioria dos dias, às 10h30 todos os pacientes já foram vistos. Posso, assim, voltar pra casa, comer alguma coisa e passar o dia com minha família antes de retornar ao hospital no final da tarde para refazer os passos e checar como todos ficaram. No caminho, penso na minha filha. Tenho um enorme medo de ser um pai ausente, de perder momentos preciosos.

Frio, sede, fome, medo. Isso me é muito familiar. Muitas vezes me esqueço de que basta ligar alguns pontos para que tudo fique mais claro. Mas alguns dias são feitos para me lembrar. Foi o caso de um domingo, quando cheguei no raiar do dia para ver Marta, portadora de um câncer de mama avançado. Aos 40 anos de idade, já havendo esgotado todas as possibilidades terapêuticas, Marta passava pelos últimos dias de sua breve vida. A doença havia migrado para seu fígado, que agora degenerava em uma falência progressiva. Não sabíamos, mas aquele seria seu último dia de vida. Nesse mesmo horário na segunda-feira, eu preencheria seu atestado de óbito e o entregaria para o marido, oferecendo meus sentimentos e condolências.

Entrei no quarto e vi Marta deitada, dormindo. Na realidade, estava profundamente sedada com a administração contínua de medicações, necessárias para o alívio das dores e da agitação causadas pela insuficiência hepática. Ao seu lado, sentado em uma fria cadeira de hospital, com as mãos unidas em oração, estava seu pai. Com o olhar fixo na filha, talvez embalado na cadência de seus movimentos respiratórios, não percebeu minha chegada. Contemplei-o por um breve momento antes de chamá-lo, durante o qual tentei imaginar – "esboçar" seria uma palavra melhor – o tamanho do seu desespero; e de que forma estaria pedindo a Deus um milagre. Certamente oferecia mil vezes sua vida em troca.

Examinei Marta e garanti que todas as medidas haviam sido tomadas para que o final de sua vida transcorresse sem dor nem sofrimento, ao menos por parte dela. Conversei com seu pai e esclareci todas as dúvidas. Quando ele me perguntou se havia alguma chance de ela sobreviver, mesmo com a máxima empatia que exerço, tive de responder com a mais dura sinceridade científica, ainda que internamente eu também torcesse por um milagre divino.

Segui para os demais pacientes e – ainda com ela em mente – voltei para casa e almocei com minha família. À tarde, andei de bicicleta com minha filha de 1 ano e meio na cadeirinha. Paramos sob uma árvore e jogamos bola. Como aproveitei e gravei na memória cada detalhe daqueles momentos...

No final do dia voltei ao hospital. Logo na entrada encontrei o marido de Marta, interpelando-me acerca de algo que havíamos combinado no dia anterior. Ele trouxera o filho de 5 anos para passar uns minutos com a mãe.

Entramos juntos no quarto. Enquanto a criança brincava no sofá, conversamos sobre o quadro atual e as perspectivas para as próximas horas. Sedada, ela parecia dormir calmamente.

— Papai, a mamãe está dormindo?

— Sim, filho. E está na hora de irmos embora. Dê um beijo e diga tchau.

Vi então o menino subir na cadeira, beijar carinhosamente a bochecha da mãe, passar a mãozinha no seu cabelo e sussurrar "tchau, mamãe".

Saindo do quarto, o marido agradeceu por tudo correr conforme havíamos combinado. Quando crescer, o filho – mesmo sem entender o que estava ocorrendo – saberá que se despediu da mãe com um beijo e um adeus. No dia seguinte, ele ficaria sabendo que sua mãe se tornara uma linda estrela no céu, das mais brilhantes. Mas não hoje. Hoje sua mãe dormia, seu avô rezava e seu pai cuidava de tudo.

Saí do hospital pensando que eu não tinha o direito de reclamar de nada, visto que meus problemas eram minúsculos. Como pedir algo a Deus que mereça mais sua atenção do que o pedido do pai de Marta?

Mais uma vez os pontos se ligaram quando me lembrei da oração que declamei muitas vezes enquanto trabalhava nas forças armadas. À época, a "Oração do guerreiro" não tinha nenhum significado para mim. Hoje, faz todo sentido.

Oração do guerreiro
Senhor, dai-me apenas aquilo que vos resta
Dai-me a fome,
Dai-me o frio,
Dai-me a sede,
Dai-me o medo,
Mas dai-me, Senhor, acima de tudo
A fé,
A força,
A coragem,
E a vontade de vencer.
Uns têm mas não podem,
Outros podem mas não têm.
Nós, que temos e podemos,
Agradecemos ao Senhor.

O sorriso mais lindo do mundo

Gisele tinha 34 anos (apenas 34!) quando a conheci. Chegou acompanhada do marido, Maicon, com uma história nada fácil para contar. Eles se conheciam havia muitos anos, numa relação de parceria que englobava vários aspectos de sua vida. O que começou com uma amizade de quase uma década acabou virando namoro, e poucos meses depois eles decidiram se casar e iniciar uma família (ambos queriam muito ter filhos). Apenas quatro meses tinham se passado desde o casamento quando Gisele acordou com a mama direita inchada e vermelha, e buscou avaliação médica. Foi quando o diagnóstico do câncer de mama caiu em seu colo, como uma bomba atômica, arremessando seus planos para todos os lados. O enorme medo da possibilidade de não poderem ter filhos após o tratamento oncológico levou os dois a se engajar em procedimentos para congelamento dos óvulos dela, pensando numa possível fertilização *in vitro* no futuro, o que incluiu a administração de hormônios e diversos exames, enquanto o nódulo da mama continuava crescendo. Foi no meio desse caos que ela veio me procurar.

A primeira coisa que vi quando Gisele entrou no consultório foi seu sorriso, e toda a doçura que ele deixava transparecer. As mãos entrelaçadas com as do marido denunciavam sua preocupação, assim como seu olhar um tanto assustado. Mas o sorriso dela parecia ter sido desenhado para dissolver a tensão, qualquer que fosse o motivo. Logo na primeira consulta percebi quanto seria especial cuidar dela... e também quanto seria difícil. Os exames solicitados pelo mastologista mostravam a possibilidade de metástases no fígado, o que comprometeria definitivamente a vida do casal. Mas Gisele ainda

(*O médico e o rio*)

não sabia disso. Fiquei ali, sentada, ouvindo os dois falarem sobre como o sonho de ser pais teria de ser adiado, e como estavam preparados para postergar seus planos em nome da saúde dela. Vi os dois trocarem olhares de cumplicidade, e notei o jeito carinhoso com que Maicon falava com ela. Foi impossível para mim, naquele primeiro encontro, contar tudo que imaginei que viria pela frente... Pedi os exames que estavam faltando e rezei para que as metástases no fígado não se confirmassem.

Infelizmente, minhas preces não foram atendidas; quando Gisele voltou, as notícias que eu tinha para ela não eram nada boas. A doença já havia comprometido tanto o fígado quanto os linfonodos no mediastino, o que significava que as chances de cura eram remotas. Além disso, era o ponto final dos seus planos de ser mãe. Lembro-me bem desse dia. Da minha angústia vendo os exames antes da consulta. Lembro-me da boca seca, e também de ter feito mais uma prece, dessa vez para que alguém iluminasse minhas palavras. Decidi dar um passo de cada vez. Falei sobre as lesões no fígado, a necessidade da quimioterapia, as boas chances de melhora, apesar de não haver possibilidade realista de cura. Gisele e Maicon choraram muito comigo no consultório. Lágrimas de tristeza, de decepção, de medo... mas também de gratidão por estarem juntos. Para cada má notícia, vinha uma palavra de apoio (de um lado e do outro). Para cada momento de medo, vinha um gesto de carinho. Um passo de cada vez.

Já se passaram mais de três anos desde esse dia. O percurso até aqui não tem sido fácil para nenhum de nós, mas a cada passo do caminho minha admiração por eles se expande. Foram inúmeros os atos de coragem dos dois durante esse tempo. Vi a força dela quando conversamos sobre a necessidade de retirar os ovários como parte do tratamento, o que significaria encerrar em definitivo a possibilidade de uma gravidez. Vi seu desespero quando foram diagnosticadas metástases no cérebro, mas também a vi respirando fundo para enfrentar mais esse obstáculo, e seja o que Deus quiser. Eu estava lá quando decidimos fazer uma cirurgia na mama, único sítio ativo da doença após alguns meses de tratamento, e também estava lá quando uma complicação da cirurgia a levou às pressas de volta para o centro cirúrgico, para desespero do Maicon. Vi inúmeras vezes o medo, a incerteza, a ansiedade nos olhos dos dois. Mas nunca, nem uma vez sequer, deixei de ver o sorriso dela. Às vezes mais tímido, às vezes receoso, muitas vezes com pitadas de tristeza, mas era aquele mesmo sorriso, com aquela mesma doçura. Também vi de perto a generosidade dela, manifestada na preocupação com o risco de a irmã também desenvolver a doença. Aprendi com a Gi que podemos preservar o que temos de melhor, mesmo em meio ao caos e à escuridão (e como ela é boa nisso!). E aprendi com o Maicon que podemos fazer aflorar o melhor do outro simplesmente mantendo-nos ao lado dele, haja o que houver. Tem gente que chama isso – vejam só! – de amor.

Hoje a Gi está muito bem. Segue em tratamento, a doença está controlada, e isso significa que esse é um ótimo momento para celebrar. Eles, tão jovens que são, já sabem muito bem disso. Exposição de motos? Vamos lá! Show do Capital Inicial? Opa, claro! Tomar um chope (ou vários) com os amigos? Demorou! E é assim, vivendo um dia de cada vez, agradecendo o que temos hoje para poder enfrentar o que quer que aconteça amanhã, que se desenha uma vida plena apesar das limitações que ela às vezes nos impõe. E, claro, ter o sorriso mais lindo do mundo pregado no rosto sempre ajuda.

Raiva

Lucas Cantadori

A *raiva é* uma reação muito comum diante de situações adversas que resultam em dor e sofrimento. Por isso, tende a ser um sentimento bastante demonstrado por pacientes oncológicos. Cabe ao médico explorá-la, aceitá-la e adaptar a comunicação a fim de estabelecer um vínculo com o doente e ajudá-lo a enfrentar suas frustrações. Mas nem sempre isso é fácil, e às vezes o desafio beira o impossível.

Foi o caso de um paciente de 60 anos portador de um linfoma que já havia sido tratado por três hematologistas diferentes antes de mim. Segundo ele, todos os médicos eram incompetentes. Ele e a esposa sempre agiam de forma que parecesse que eu era o fator causador e agravador de sua doença. Todas as minhas condutas eram questionadas, criticadas e menosprezadas. Cada período de internação era um martírio para toda a equipe. Por mais que eu me desdobrasse, nada era suficiente para acalentar seu sofrimento e tudo era motivo para as mais variadas reclamações: a enfermagem demorava para atendê-lo e não o medicava adequadamente, eu demorava para chegar e não dava a atenção devida, a estrutura hospitalar era péssima. O quarto, frio; a comida, terrível. A esposa reclamava do transtorno de ter de cuidar do marido e abrir mão de suas atividades habituais. Enfim, nada era bom o bastante. Alguns meses antes eu havia desistido de fazê-lo aceitar sua condição, e me concentrava na difícil tarefa de não deixar despertar em mim um sentimento de repulsa que poderia me fazer desistir e decidir encaminhá-lo para outro médico.

O tempo passou e sua doença evoluiu de forma refratária, esgotando todas as possibilidades terapêuticas. Ele se recusava a ir às consultas e exigia que o atendêssemos em sua casa, onde o clima se mantinha permanentemente pesado, não faltando ofensas direcionadas a cuidadores, esposa e filhos. Sua condição clínica foi piorando cada vez mais. Então, sua esposa me ligou para dizer que ele estava morrendo e que ela se recusava a levá-lo ao hospital.

Por um instante, pensei em dizer que não havia opção, pois eu não estava disponível para atendê-los naquele momento. Caso quisessem assistência, a única saída seria ligar para o serviço de emergência e procurar o hospital. Bastava de exceções; eu não mais seria condescendente com as atitudes do casal. Todavia, eu sabia que, se ele fosse ao hospital, morreria sob as condições que mais criticava e odiava. Se não fosse, talvez morresse em situação de sofrimento em casa. Desmarquei meus compromissos e fui até sua residência.

Sua esposa me recebeu bastante abatida. Disse que na noite anterior ele entrara num estado de desorientação e agora estava alheio a tudo. Levou-me até o quarto, onde o vi em estado de torpor, com os olhos vidrados; não reagia a comandos, respirava mal e gemia. Pedi ajuda para virá-lo e a mulher chamou um dos filhos. O rapaz não tinha mais do que 20 anos; estava dormindo e veio se arrastando, com uma careta meio infantil. Virou o pai na cama como se estivesse mudando um móvel de lugar.

Expliquei acerca da fase em que ele se encontrava, das poucas horas de vida que tinha e da necessidade de conforto sedativo, algo que eu poderia implementar ali mesmo, dada a expressa recusa da família a procurar o ambiente hospitalar. Iniciei a aplicação intermitente do sedativo e vi que a filha havia aparecido, com os braços cruzados timidamente em um canto do quarto. O paciente parou de gemer, mantendo a respiração superficial. Expliquei aos familiares que o processo duraria pouco tempo e que eu lhes daria espaço, mas estaria no cômodo ao lado caso precisassem de mim.

Talvez pelo fato de agora não haver mais a preocupação com a estrutura de hospital, com a pontualidade do médico atendente, com a eventual demora da enfermagem para responder aos constantes chamados; talvez pelo conforto de estar em casa apenas marido, esposa e filhos; ou talvez pela antecipação de que o sofrimento (e o trabalho extra por ele gerado) acabaria, houve um breve e sublime momento em que o afeto reapareceu.

A filha sentou-se ao lado do pai, segurando sua mão direita. O outro manteve-se ajoelhado e chorando agarrado a seus pés. A esposa, na cama, abraçou-o. Sem amor dissimulado, mas com um sentimento real, talvez até mais por lembrança de algo que já fora concreto um dia.

Assim ele morreu. Saí por uns minutos e voltei com o atestado de óbito preenchido enquanto o serviço funerário já se preparava para levar o corpo. Deixei uma família triste (em vários sentidos), porém mais leve, aliviada e muito grata pelos cuidados recebidos.

Ao decidir relevar as críticas e aceitar os controversos sentimentos e atitudes tanto do paciente quanto dos familiares, centralizando em mim a responsabilidade naquele momento difícil, por um breve período vi dissipar-se do ambiente todos os entraves que atrapalhavam suas relações interpessoais. Livre das impurezas, o solo daquela casa voltou a ser fértil para um breve e fugaz renascer do amor.

No *best-seller* O físico, Noah Gordon escreve que, apesar de tudo que um médico pode fazer, ele nada mais é do que uma folha ao vento. Sim, uma folha ao vento guiada pelos desígnios de Deus ou pela aleatoriedade do universo – a depender do rol que compõe suas crenças. Sua vida pode ser dedicada a solucionar ou aceitar essa limitação, mas deve – obrigatoriamente – ser uma jornada pavimentada por humildade, respeito e empatia pelo doente. Medicina (ainda) não pressupõe a extirpação de todos os males, tampouco a resolução de todas as incertezas. A arte da cura permanece como um leque de mil nuanças, mas que dá ao médico o grande poder de ser guardião da dignidade de seus pacientes. E isso é sagrado.

A torcida de branco

Hoje foi uma daquelas manhãs cheias de delicadezas, permeadas dos mistérios que envolvem as relações entre os médicos e seus pacientes... Dona Filomena, aos 62 anos, veio me ver depois de um período turbulento da sua vida, que envolveu o diagnóstico de câncer de intestino, uma cirurgia de emergência, resultados de exames que não batiam uns com os outros, novos exames para confirmar os primeiros, várias consultas com diversos médicos diferentes.

Quando a conheci, há cerca de cinco meses, ela estava no meio do caos. Precisamos de algumas semanas até conseguirmos organizar tudo e definir nossas estratégias, que acabaram se resumindo ao seu acompanhamento a cada três meses com tomografias e exames de sangue. Esse era seu primeiro retorno após termos "colocado ordem na casa". Dona Filomena veio esfuziante. Maquiada, com um sorriso de orelha a orelha, acompanhada de uma amiga querida e cheia de planos para o futuro. Entre uma risada e outra, ela me falou da aposentadoria que está prestes a acontecer e que vai permitir que ela realize vários sonhos. Contou dos cursos de terceira idade que passara a frequentar e de como se sentia motivada pelos novos rumos que sua vida vinha tomando. Contou como tinha conhecido uma senhora na internet e engatado um namoro que a estava deixando muito feliz, e falou animadamente sobre os planos delas de passarem o próximo Réveillon juntas, e sobre a viagem já programada para o ano que vem. Eu olhava para ela e sentia o coração leve, invadido por uma alegria tão grande que só poderia ser chamada de "torcida". Isso mesmo, torcida. Aquele sentimento de estar genuinamente feliz pelas conquistas do outro, aquela sensação de ter contribuído para que o outro chegasse lá. O mérito era todo dela, mas a alegria do momento era compartilhada.

Lembrei-me do depoimento de uma médica de família que li em algum lugar um tempo atrás. Ela contava como era gratificante assistir à trajetória dos pacientes se recuperando, mudando de vida, tomando as rédeas de seu destino. Ela dizia, em seu texto, que era o tipo de médica que vibrava quando o paciente ex-presidiário com hipertensão arterial conseguia um emprego, a dona de casa com diabetes descompensado passava a frequentar a academia de ginástica ou a mãe solteira com transtorno de ansiedade conseguia concluir a faculdade. E falava de como esse sentimento transformava sua vida em algo mais valioso e significativo. Identifiquei-me imediatamente com as palavras dela. Faço parte da torcida de branco, e provavelmente ficaria sentada logo nas primeiras fileiras da arquibancada.

É claro que alguém poderia concluir que é muito fácil se sentir feliz pelos outros quando tudo dá certo, que a torcida é quase obrigatória quando a cura ou os desfechos favoráveis estão no caminho dos pacientes. Posso até ouvir, na minha cabeça, esse mesmo alguém murmurando, com certa amargura nas palavras: "Queria ver a 'torcida' ser a mesma se a paciente estivesse morrendo". Pois é... não é fácil mesmo se manter fiel ao time quando o placar está desfavorável. Não à toa nós, médicos, por vezes não conseguimos lidar com essa situação. Às vezes simplesmente fugimos, evitamos passar visita naquele quarto, achamos desculpas para encurtar as conversas, mudamos de assunto, deixamos a arquibancada vazia. Em outras, nos deixamos iludir, negando uma realidade que não poderá ser mudada. Torcer por quê?

Mas, quando olhamos com atenção, quando deixamos a delicadeza tomar conta dos nossos olhos, passamos a enxergar os motivos. Vemos a dor insuportável de um paciente sendo aliviada, e torcemos para que ele se mantenha confortável pelo maior tempo possível (de preferência para sempre). Vemos a mãe conseguindo comparecer ao casamento da filha, de lencinho na cabeça e cadeira de rodas, e torcemos para que aquele momento torne a vida delas mais significativa. Assistimos ao senhor magricela conseguindo comer um prato inteiro de sopa rala e sorrindo de satisfação, e torcemos para que ele possa saborear pelo menos mais alguns pratos daquele antes de terminar seus dias. Torcemos por muitas coisas, grandes e pequenas, quase sempre envolvendo a melhora da vida dos nossos pacientes, mesmo que mínima. Mas, às vezes, não temos como fazer nem mesmo isso por eles. Sentimos nossa impotência diante de uma doença irreversível para a qual não temos mais tratamentos eficazes, e percebemos a vida dessas pessoas escorrendo pelos nossos dedos. Presenciamos seu sofrimento e sua angústia, seus olhos sem a luminosidade de antes, sua voz que não consegue nos chamar. É aí, nesses momentos, que torcemos em silêncio para que a vida simplesmente termine em paz. E essa é nossa torcida mais profunda e reverente. É justamente quando o time está perdendo que a torcida faz mais diferença.

Fique em paz, querido

Eu não me lembro exatamente de como ele e eu nos conhecemos, tampouco de quem nos apresentou. Foi há muitos anos, quando meu marido e eu não éramos oficialmente casados e minhas filhas ainda eram apenas estrelas no céu. Mas lembro que gostei dele desde sempre. Não se tratava de uma conexão do tipo "almas gêmeas" ou de algo novelesco. Na verdade, não tínhamos tantas coisas assim em comum. Nossas personalidades eram diferentes, nossos talentos também. Mas havia algo em seu caráter, em seu humor irônico – ou talvez na sua gentileza indiscriminada – que me encantava. O fato é que nesses muitos anos de amizade foram muitas as risadas, os projetos em comum, as trocas de favores, as bobagens. Ele estava presente em momentos importantes da minha vida. Meu casamento, que ele fez questão de planejar e organizar em cada detalhe. A construção e a concepção da minha casa, que tem a essência dele até hoje. O nascimento das meninas, que ele presenciou com sua alegria genuína e generosa. Aliás, creio que generosidade era sua palavra mais definitiva. No meio dos seus defeitos, das suas fraquezas, sempre sobrava espaço para ser disponível, para oferecer seu tempo e sua atenção a alguém.

Quando ele adoeceu, com um câncer de estômago inoportuno, fui uma das primeiras a saber. Ajudei a organizar o tratamento num excelente centro oncológico, onde ele se sentia acolhido e seguro. A ideia era iniciar a quimioterapia para viabilizar a retirada cirúrgica do tumor, o que lhe permitiria uma chance de cura e de ter sua vida de volta. Fiz parte da rede de apoio que se formou em torno dele, esclarecendo dúvidas, orientando o manejo dos efeitos colaterais da quimioterapia, explicando os passos seguintes a ser percorridos.

As primeiras sessões de quimioterapia pareciam estar indo bem, mas depois de algumas semanas ele começou a se sentir mais fraco. Tinha dificuldade para se alimentar, a diarreia não o abandonava e até mesmo as atividades mais simples tornaram-se penosas. Um dia, no meio da manhã, recebi uma mensagem dele perguntando se poderia me ligar (delicado como ele era, jamais telefonava sem se certificar de que não estaria atrapalhando). O telefonema era para me perguntar se seria possível terminar as sessões de quimioterapia em nossa cidade, pois as viagens até o serviço de referência em que ele estava sendo acompanhado haviam se tornado cansativas e difíceis. Confesso que fiquei apreensiva. Não tinha certeza sobre minha capacidade de cuidar dele. Talvez tenha sido seu tom de voz, com certa angústia mal disfarçada, ou as palavras que ele escolheu para pedir esse favor. O fato é que meu coração apertado me deixou em alerta, mas não havia a menor possibilidade de não ajudá-lo no que quer que precisasse. E marcamos a consulta.

Assim que o vi, percebi que as coisas não estavam indo tão bem assim. Ele estava magro e um pouco abatido; perdera parte da sua vivacidade tão característica. Contou sobre como estava cansado, sobre a dificuldade de se alimentar, e de como estava ansioso para que o tratamento acabasse logo, pois a doença estava atravancando seus projetos. Mas foi só quando ele falou sobre a mudança de planos do outro oncologista, que tinha sugerido "manter a quimioterapia mais um tempo para tentarmos evitar a cirurgia", que compreendi o que meu peito apertado estava querendo me dizer. Não se trata de "evitar a cirurgia", e sim de a cirurgia provavelmente não ser mais uma opção, porque a doença tinha se espalhado para além do estômago. Conversamos por quase duas horas nesse dia, mas, embora essa constatação me viesse à mente a cada cinco minutos, não tive a coragem necessária para explicar isso a ele. Limitei-me a ajudá-lo com os trâmites burocráticos para dar continuidade ao tratamento e a conversar sobre assuntos que nada tinham que ver com a doença, relembrando episódios engraçados ou pitorescos da nossa amizade e comentando sobre como às vezes precisamos desenvolver a resiliência "na marra". Ele se despediu com um grande abraço agradecido, e tive de lidar com meu enorme desconforto. Eu esperava mais de mim mesma. Gostaria de ter sido mais honesta, de ter aproveitado as pequenas chances durante a conversa para situá-lo. Não deu.

Na semana seguinte, ele retornou com os exames para que eu liberasse o início da quimioterapia. Estava animado porque havia ganhado dois quilos e estava se sentindo um pouco melhor. Por alguns instantes, um sopro de alívio passou por mim. Talvez eu estivesse sendo muito pessimista, ou estivesse deixando minha relação pessoal com ele atrapalhar meu julgamento. Mas o fato é que já acompanhei pacientes oncológicos em número suficiente para detectar sinais que nem mesmo sei descrever, mas me fazem sentir sob a pele que algo está errado. Bastou levantar sua camisa para ver o acúmulo de líquido no abdome (que nós, médicos, chamamos de ascite), e que estava ausente quando o examinei havia apenas poucos dias. Os dois quilos ganhos eram nada mais que água. O significado disso, quase certamente, era o comprometimento do peritônio pelo câncer, ou seja, a doença parecia ter avançado. Respirei fundo e decidi que daquela vez eu não fugiria da raia. Mostrei os sinais do líquido se acumulando pelo abdome, fazendo um som característico quando o percutimos com os dedos, e mostrei o tremor na lateral da barriga ao dar um peteleco do outro lado, denunciando a presença da água que não deveria estar ali. Ele entendeu. Baixou os olhos (tenho certeza de que para me poupar do seu sofrimento, ele era exatamente assim) e combinamos de concluir o ciclo de quimioterapia já programado para logo em seguida fazer mais uma avaliação com tomografias.

A reavaliação nunca chegou a acontecer. Alguns dias após a quimioterapia, ele veio me ver ainda mais fraco e debilitado. Pela primeira vez, teve dificuldades para se levantar sozinho na sala de espera. Muito pálido, febril, o pulso acelerado, sentindo falta de ar a pequenos esforços, o abdome ainda mais distendido. Não precisei de mais do que cinco minutos para indicar que ficasse internado. Meu coração, de novo, do tamanho de uma ervilha. Os dias de internação foram difíceis para todos. Logo em seguida decidimos levá-lo para a UTI, onde poderia ser monitorado de forma mais adequada. Mas um distúrbio em sua coagulação não permitia que o tumor no estômago parasse de sangrar, e não conseguíamos reverter o quadro. Logo ficou claro para nós que ele não sairia mais de lá. Conseguimos um quarto isolado dentro da UTI, onde ele ficaria mais confortável.

    A equipe toda, encantada com sua generosidade e delicadeza, não media esforços para aliviar cada desconforto. Mesmo nos piores dias, quando era nítida sua frustração com tudo aquilo, ele agradecia. Agradecia por um livro, por uma massagem nos pés inchados, por uma conversa mais prolongada, por um sorriso inesperado. Agradecia quando podia chupar algumas fatias de melão caipira, dizendo que era um jantar dos deuses. Agradecia por estar sendo cuidado de um jeito como nunca imaginou que merecia. Pois é. Foi exatamente o que ele me disse numa de nossas longas conversas, ali no leito da UTI. Ele me contou, maravilhado, sobre a atenção que vinha recebendo de tanta gente. Falou da mobilização ocorrida na cidade para doações de sangue em seu nome, e de como aquilo o emocionara. Quando respondi que não estava nem um pouco surpresa, porque ele era muito querido, ele sorriu, pensativo: "Pois é... por que será que nunca aceitei o fato de que as pessoas gostam mesmo de mim?" Essa foi a primeira ocasião em que ele me fez chorar, com as mãos entrelaçadas nas dele, sem saber o que dizer.

    Alguns dias depois, com sua piora ainda mais evidente, ele parecia decidido a resolver questões pendentes. Conversou sobre assuntos práticos com a irmã, teve conversas significativas com pessoas queridas, leu textos importantes para elas. Quando perguntei como estava sendo tudo aquilo, a resposta veio pronta: "Sabe, Ana, eu não tenho medo de morrer. Isso não me angustia. O que me angustia são as questões da vida que demorei tanto para perceber. Fico pensando nas bobagens que fiz e não consertei, nas oportunidades que perdi por pura teimosia, nessas coisas que não dá mais pra arrumar. Mas acho que, no geral, sou uma pessoa bacana, né?" Dessa vez, ele me fez chorar de encantamento. Era incrível vê-lo repassar a vida a limpo e chegar a um saldo positivo sobre a própria existência. Pensei em como essa é a meta que todos deveríamos ter: não de sermos perfeitos, mas de termos um saldo positivo ao final. Respondi: "Você é bem mais que um cara bacana. Você é O cara". Ele riu. Estava feliz.

Infelizmente, todas as existências, boas ou ruins, sofridas ou alegres, com saldo positivo ou negativo, chegam ao fim. Com ele não foi diferente. Depois de um dia relativamente tranquilo, ele começou a piorar rapidamente, com falta de ar até mesmo para falar, e certa confusão mental. Sabíamos que estava chegando a hora da partida. Quando fui vê-lo à noite, a equipe toda da UTI estava reunida conversando sobre ele. Médicos e enfermeiros mostravam-se consternados com a despedida iminente de uma pessoa tão especial. Revisamos o caso dele e as condutas que estavam sendo tomadas. Não havia mais nenhuma medida possível para aliviar seu desconforto. Respirei fundo, pedi proteção lá de cima e fui falar com ele. Foram poucas as palavras. Mais ou menos estas:

— Olá, querido... as coisas não estão muito bem, né?

— Então... Não estão, meu bem... Como vamos resolver isso?

Respirei fundo, nos permiti alguns segundos de silêncio e respondi, já com lágrimas nos olhos:

— Acho que não vamos resolver, querido. Acho que está chegando a hora de você descansar.

Ele olhou para o outro lado. Respirava com dificuldade. Ficamos em silêncio um tempo, eu observando sua magreza, o abdome inchado, os braços cobertos de hematomas. Havia muito ele deixara de ser a criatura alegre e cheia de vivacidade que eu conhecera. Apertei suas mãos, e ele olhou para mim, a voz doce e serena:

— Está tudo bem, meu bem. Vai descansar você também. Muito obrigado por tudo.

Dei um beijo em sua testa e saí, chorando até onde podia. Avisei sua irmã e ela prontamente foi vê-lo. Conversaram por um bom

———————(Ana Coradazzi e Lucas Cantadori)———————

tempo. Pouco mais de uma hora após a partida dela, ele chamou o médico. O sofrimento tinha se intensificado, e ele foi então sedado para que tivesse conforto em seus últimos momentos. Partiu pouco tempo depois, levando com ele uma generosidade que dificilmente encontrarei de novo em alguém, e deixando uma saudade que não cabe dentro de nós.

Fique em paz, querido. Você fez bonito por aqui.

Agradecimentos

Expressar gratidão a quem contribui de alguma forma conosco é, ao mesmo tempo, um ato de humildade e de sabedoria. Humildade por nos reconhecermos humanos e incompletos, e sabedoria por nos reconhecermos falíveis e imperfeitos. O exercício da humildade e a aquisição de sabedoria estão justamente entre as muitas metas a que nós dois nos propusemos nessa caminhada rumo a nos tornarmos os melhores seres humanos que pudermos ser. As pessoas a quem somos gratos por este livro não apenas contribuíram para a materialização dos textos: elas nos tornaram indivíduos melhores.

Nossos pacientes e suas famílias, sem dúvida, estão no topo dessa lista. Sua generosidade e confiança têm nos transformado a cada dia, lembrando-nos do que somos feitos, para que estamos aqui e, principalmente, de que somos finitos e falíveis. É por meio da sua dor que aprendemos a curar nossas feridas. Muito obrigado.

Nossas famílias e nossos amigos, com sua paciência infinita e sua tolerância inacreditável, lembram-nos de como estamos ligados uns aos outros por laços inexplicáveis, e isso certamente nos transforma também. A força e a coragem que brotam de vocês não podem ser descritas, mas são percebidas a cada passo do caminho. Muito obrigado.

Nossos colegas de profissão, tanto médicos quanto todos os outros profissionais com os quais convivemos, inspiram-nos a fazer melhor com suas experiências compartilhadas e sua disponibilidade em nos ouvir. Muitos de vocês estão retratados neste livro, de uma forma ou de outra, e levamos suas palavras e atitudes conosco pela vida. Muito obrigado.

......(Ana Coradazzi e Lucas Cantadori)......

E, como se não bastassem todos esses privilégios, encontramos uma equipe editorial atenta e sensível ao que essas histórias representam, que fez delas uma obra delicada e emocionante. Muito obrigado.
Que cada um de vocês possa se reconhecer nestas páginas como parte importante que são dessas histórias.
Com carinho,

ANA E LUCAS

www.gruposummus.com.br